사고력 수학 소마가 개발한 연산학습의 새 기준!!

소마의 **마술같은 원리셈**

소마셈

B6
2학년

KB094276

수학이 즐거워지는 특별한 수학교실
소마에서 개발한 연산교재 소마셈

소마셈

2002년 대치소마 개원 이후로 끊임없는 교재 연구와 교구의 개발은 소마의 자랑이자 자부심입니다. 교구, 게임, 토론 등의 다양한 활동식 수업으로 스스로 문제해결능력을 키우고, 아이들이 수학에 대한 흥미와 자신감을 가질 수 있도록 차별성 있는 수업을 해 온 소마에서 연산 학습의 새로운 패러다임을 제시합니다.

연산 교육의 현실

연산 교육의 가장 큰 폐해는 '초등 고학년 때 연산이 빠르지 않으면 고생한다.'는 기존 연산 학습지의 왜곡된 마케팅으로 인해 단순 반복을 통한 기계적 연산을 강조하는 것입니다. 하지만, 기계적 반복을 위주로하는 연산은 개념과 원리가 빠진 연산 학습으로써 아이들이 수학을 싫어하게 만들 뿐 아니라 사고의 확장을 막는 학습방법입니다.

초등수학 교과과정과 연산

초등교육과정에서는 문자와 기호를 사용하지 않고 말로 풀어서 연산의 개념과 원리를 설명하다가 중등교육과정부터 문자와 기호를 사용합니다. 교과서를 살펴보면 모든 연산의 도입에 원리가 잘 설명되어 있습니다. 요즘 현실에서는 연산의 원리를 묻는 서술형 문제도 많이 출제되고 있는데 연산은 연습이 우선이라는 인식이 아직도 지배적입니다.

연산 학습은 어떻게?

연산 교육은 별도로 떼어내어 추상적인 숫자나 기호만 가지고 다뤄서는 절대로 안됩니다. 구체물을 가지고 생각하고 이해한 후, 연산 연습을 하는 것이 필요합니다. 또한, 속도보다 정확성을 위주로 학습하여 실수를 극복할 수 있는 좋은 습관을 갖추는 데에 초점을 맞춰야 합니다.

소마셈 연산학습 방법

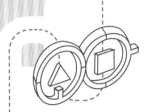

 ## 10이 넘는 한 자리 덧셈　　구체물을 통한 개념의 이해

덧셈과 뺄셈의 기본은 수를 세는 데에 있습니다. 8+4는 8에서 1씩 4번을 더 센 것이라는 개념이 중요합니다. 10의 보수를 이용한 받아 올림을 생각하면 8+4는 (8+2)+2지만 연산 공부를 시작할 때에는 덧셈의 기본 개념에 충실한 것이 좋습니다. 이 책은 구체물을 통해 개념을 이해할 수 있도록 구체적인 예를 든 연산 문제로 구성하였습니다.

 ## 가로셈　　가로셈을 통한 수에 대한 사고력 기르기

세로셈이 잘못된 방법은 아니지만 연산의 원리는 잊고 받아 올림한 숫자는 어디에 적어야 하는지만을 기억하여 마치 공식처럼 풀게 합니다. 기계적으로 반복하는 연습은 생각없이 연산을 하게 만듭니다. 가로셈을 통해 원리를 생각하고 수를 쪼개고 붙이는 등의 과정에서 키워질 수 있는 수에 대한 사고력도 매우 중요합니다.

 ## 곱셈구구　　곱셈도 개념 이해를 바탕으로

곱셈구구는 암기에만 초점을 맞추면 부작용이 큽니다. 곱셈은 덧셈을 압축한 것이라는 원리를 이해하며 구구단을 외움으로써 연산을 빨리 할 수 있다는 것을 알게 해야 합니다. 곱셈구구를 외우는 것도 중요하지만 곱셈의 의미를 정확하게 아는 것이 더 중요합니다. 4×3을 할 줄 아는 학생이 두 자리 곱하기 한 자리는 안 배워서 45×3을 못 한다고 말하는 일은 없도록 해야 합니다.

소마샘 학습가이드

K단계 (5, 6, 7세) • 연산을 시작하는 단계

뛰어세기, 거꾸로 뛰어세기를 통해 수의 연속적 성질(linearity)을 이해하고 덧셈, 뺄셈을 공부합니다. 각 권의 호흡은 짧지만 일관성 있는 접근으로 자연스럽게 나선형식 반복학습의 효과가 있도록 하였습니다.

- **학습대상** : 연산을 시작하는 아이와 한 자리 수 덧셈을 구체물(손가락 등)을 이용하여 해결하는 아이
- **학습목표** : 수와 연산의 튼튼한 기초 만들기

P단계 (7세, 1학년) • 받아올림이 있는 덧셈, 뺄셈을 배울 준비를 하는 단계

5, 6, 9 뛰어세기를 공부하면서 10을 이용한 더하기, 빼기의 편리함을 알도록 한 후, 가르기와 모으기의 집중학습으로 보수 익히기, 10의 보수를 이용한 덧셈, 뺄셈의 원리를 공부합니다.

- **학습대상** : 받아올림이 없는 한 자리 수의 덧셈을 할 줄 아는 학생
- **학습목표** : 받아올림이 있는 연산의 토대 만들기

A단계 (1학년) • 초등학교 1학년 교과과정 연산

받아올림이 있는 한 자리 수의 덧셈, 뺄셈은 연산 전체에 매우 중요한 단계입니다. 원리를 정확하게 알고 A1에서 A4까지 총 4권에서 한 자리 수의 연산을 다양한 과정으로 연습하도록 하였습니다.

- **학습대상** : 초등학교 1학년 수학교과과정을 공부하는 학생
- **학습목표** : 10의 보수를 이용한 받아올림이 있는 덧셈, 뺄셈

B단계 (2학년) • 초등학교 2학년 교과과정 연산

두 자리, 세 자리 수의 연산을 다룬 후 곱셈, 나눗셈을 다루는 과정에서 곱셈구구의 암기를 확인하기보다는 곱셈구구를 외우는데 도움이 되고, 곱셈, 나눗셈의 원리를 확장하여 사고할 수 있도록 하는데 초점을 맞추었습니다.

- **학습대상** : 초등학교 2학년 수학교과과정을 공부하는 학생
- **학습목표** : 덧셈, 뺄셈의 완성 / 곱셈, 나눗셈의 원리를 정확하게 알고 개념 확장

C단계 (3학년) • 초등학교 3, 4학년 교과과정 연산

B단계까지의 소마샘은 다양한 문제를 통해서 학생들이 즐겁게 연산을 공부하고 원리를 정확하게 알게 하는데 초점을 맞추었다면, C단계는 3학년 과정의 큰 수의 연산과 4학년 과정의 혼합 계산, 괄호를 사용한 식 등, 필수 연산이 연습이 충실히 할 수 있도록 히였습니다.

- **학습대상** : 초등학교 3, 4학년 수학교과과정을 공부하는 학생
- **학습목표** : 큰 수의 곱셈과 나눗셈, 혼합 계산

D단계 (4학년) • 초등학교 4, 5학년 교과과정 연산

분모가 같은 분수의 덧셈과 뺄셈, 소수의 덧셈과 뺄셈을 공부하여 초등 4학년 과정 연산을 마무리하고 초등 5학년 연산과정에서 가장 중요한 약수와 배수, 분모가 다른 분수의 덧셈과 뺄셈을 충분히 익힐 수 있도록 하였습니다.

- **학습대상** : 초등학교 4, 5학년 수학교과과정을 공부하는 학생
- **학습목표** : 분모가 같은 분수의 덧셈과 뺄셈, 소수의 덧셈과 뺄셈, 분모가 다른 분수의 덧셈과 뺄셈

소마셈 단계별 학습내용

K단계 추천연령 : 5, 6, 7세

단계	K1	K2	K3	K4
권별 주제	10까지의 더하기와 빼기 1	20까지의 더하기와 빼기 1	10까지의 더하기와 빼기 2	20까지의 더하기와 빼기 2
단계	K5	K6	K7	K8
권별 주제	10까지의 더하기와 빼기 3	20까지의 더하기와 빼기 3	20까지의 더하기와 빼기 4	7까지의 가르기와 모으기

P단계 추천연령 : 7세, 1학년

단계	P1	P2	P3	P4
권별 주제	30까지의 더하기와 빼기 5	30까지의 더하기와 빼기 6	30까지의 더하기와 빼기 10	30까지의 더하기와 빼기 9
단계	P5	P6	P7	P8
권별 주제	9까지의 가르기와 모으기	10 가르기와 모으기	10을 이용한 더하기	10을 이용한 빼기

A단계 추천연령 : 1학년

단계	A1	A2	A3	A4
권별 주제	덧셈구구	뺄셈구구	세 수의 덧셈과 뺄셈	□가 있는 덧셈과 뺄셈
단계	A5	A6	A7	A8
권별 주제	(두 자리 수) + (한 자리 수)	(두 자리 수) − (한 자리 수)	두 자리 수의 덧셈과 뺄셈	□가 있는 두 자리 수의 덧셈과 뺄셈

B단계 추천연령 : 2학년

단계	B1	B2	B3	B4
권별 주제	(두 자리 수) + (두 자리 수)	(두 자리 수) − (두 자리 수)	세 자리 수의 덧셈과 뺄셈	덧셈과 뺄셈의 활용
단계	B5	B6	B7	B8
권별 주제	곱셈	곱셈구구	나눗셈	곱셈과 나눗셈의 활용

C단계 추천연령 : 3학년

단계	C1	C2	C3	C4
권별 주제	두 자리 수의 곱셈	두 자리 수의 곱셈과 활용	두 자리 수의 나눗셈	세 자리 수의 나눗셈과 활용
단계	C5	C6	C7	C8
권별 주제	큰 수의 곱셈	큰 수의 나눗셈	혼합 계산	혼합 계산의 활용

D단계 추천연령 : 4학년

단계	D1	D2	D3	D4
권별 주제	분모가 같은 분수의 덧셈과 뺄셈(1)	분모가 같은 분수의 덧셈과 뺄셈(2)	소수의 덧셈과 뺄셈	약수와 배수
단계	D5	D6		
권별 주제	분모가 다른 분수의 덧셈과 뺄셈(1)	분모가 다른 분수의 덧셈과 뺄셈(2)		

구성과 특징

1

수 이야기

생활 속의 수 이야기를 통해 수와 연산의 이해를 돕습니다. 수의 역사나 재미있는 연산 문제를 접하면서 수학이 재미있는 공부가 되도록 합니다.

2

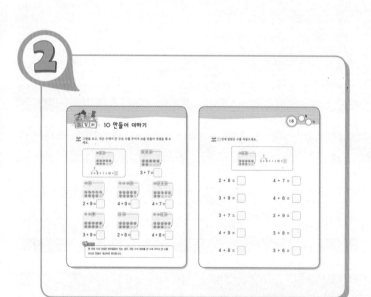

원리 & 연습

구체물 또는 그림을 통해 연산의 원리를 쉽게 이해하고, 원리의 이해를 바탕으로 연산이 익숙해지도록 연습합니다.

소마의 마술같은 원리셈

③

사고력 연산

반복적인 연산에서 나아가 배운 원리를 활용하여 확장된 문제를 해결합니다. 어려운 문제를 싣기보다 다양한 생각을 할 수 있는 내용으로 구성하였습니다.

④

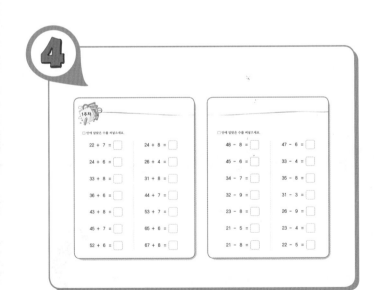

Drill (보충학습)

주차별 주제에 대한 연습이 더 필요한 경우 보충학습을 활용합니다.

 연산과정의 확인이 필수적인 주제는 Drill 의 양을 2배로 담았습니다.

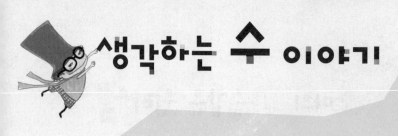

곱셈 미로

아기 펭귄이 미로를 빠져나갈 수 있는 길을 찾아 선으로 연결해 보세요.

1. 두 자리 수는 십의 자리 수와 일의 자리 수를 곱한 수로 이동합니다.
   예 34는 3×4=12, 12로 이동
2. 한 자리 수는 자신을 두 번 곱한 수로 이동합니다.
   예 5는 5×5=25, 25로 이동

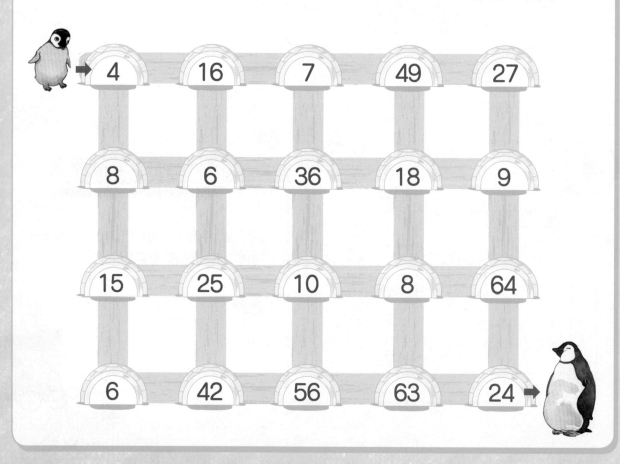

소마셈 B6 - 1주차
2의 단, 4의 단

2의 단

🌱 2씩 뛰어 세기를 이용하여 2의 단 곱셈을 해 보세요.

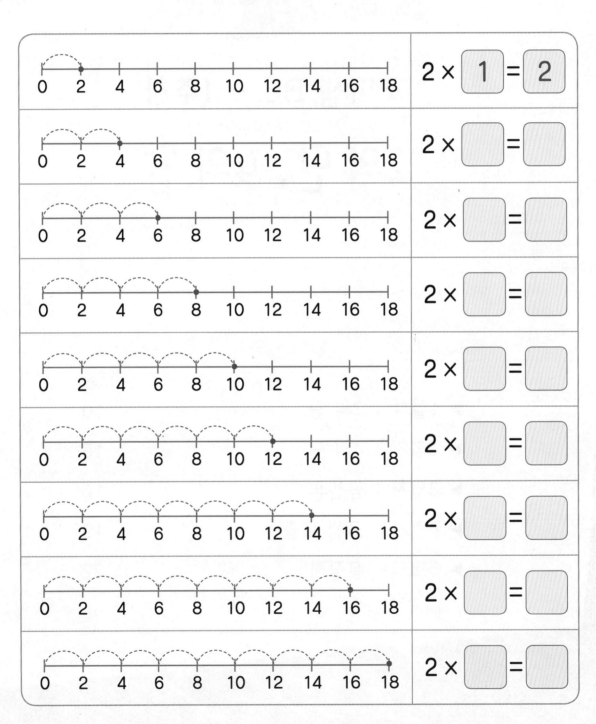

$2 \times \boxed{1} = \boxed{2}$

$2 \times \boxed{} = \boxed{}$

$2 \times \boxed{} = \boxed{}$

$2 \times \boxed{} = \boxed{}$

$2 \times \boxed{} = \boxed{}$

$2 \times \boxed{} = \boxed{}$

$2 \times \boxed{} = \boxed{}$

$2 \times \boxed{} = \boxed{}$

$2 \times \boxed{} = \boxed{}$

🌱 2씩 뛰어 세기를 수직선에 나타내어 보고, □ 안에 알맞은 수를 써넣으세요.

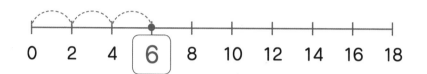

$2 \times \boxed{3} = \boxed{6}$

$2 \times \boxed{} = \boxed{}$

$2 \times \boxed{} = \boxed{}$

$2 \times \boxed{} = \boxed{}$

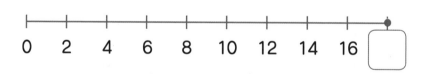

$2 \times \boxed{} = \boxed{}$

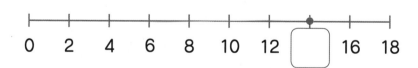

$2 \times \boxed{} = \boxed{}$

□ 안에 알맞은 수를 써넣으세요.

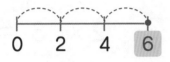

2 × 3 = 6

2 × 4 =

2 × 5 =

2 × 6 =

2 × 1 =

2 × 8 =

2 × 6 =

2 × 9 =

2 × 2 =

2 × 5 =

2 × 4 =

2 × 7 =

4의 단

 4씩 뛰어 세기를 이용하여 4의 단 곱셈을 해 보세요.

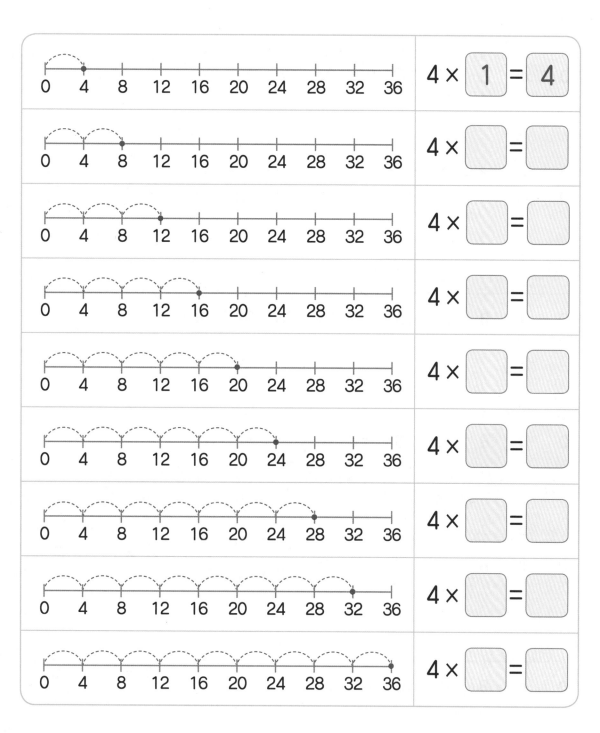

4 × **1** = **4**	
4 × ☐ = ☐	
4 × ☐ = ☐	
4 × ☐ = ☐	
4 × ☐ = ☐	
4 × ☐ = ☐	
4 × ☐ = ☐	
4 × ☐ = ☐	
4 × ☐ = ☐	

 4씩 뛰어 세기를 수직선에 나타내어 보고, □ 안에 알맞은 수를 써넣으세요.

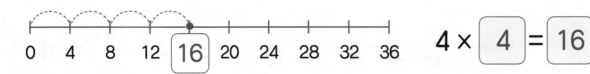

$4 \times \boxed{4} = \boxed{16}$

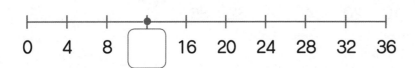

$4 \times \boxed{} = \boxed{}$

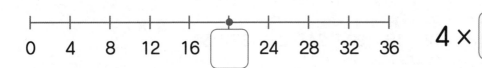

$4 \times \boxed{} = \boxed{}$

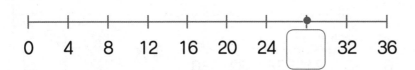

$4 \times \boxed{} = \boxed{}$

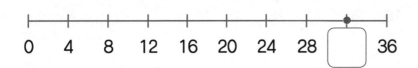

$4 \times \boxed{} = \boxed{}$

$4 \times \boxed{} = \boxed{}$

□ 안에 알맞은 수를 써넣으세요.

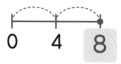

$4 \times 2 =$ 8

$4 \times 4 =$

$4 \times 3 =$

$4 \times 1 =$

$4 \times 6 =$

$4 \times 7 =$

$4 \times 5 =$

$4 \times 4 =$

$4 \times 7 =$

$4 \times 8 =$

$4 \times 9 =$

$4 \times 5 =$

곱셈표

 빈칸에 알맞은 수를 써넣으세요.

×	1	2	3	4	5	6	7	8	9
2	2								
4	4								

×	4
2	8
4	16

×	2
2	
4	

×	7
2	
4	

×	8
2	
4	

×	3
2	
4	

×	5
2	
4	

×	6
2	
4	

×	9
2	
4	

빈칸에 알맞은 수를 써넣으세요.

×	1	2	3
2			
4			

×	4	5	6
2			
4			

×	7	8	9
2			
4			

×	1	3	5
2			
4			

×	2	4	6
2			
4			

×	3	6	9
2			
4			

🌱 빈칸에 알맞은 수를 써넣으세요.

×	4
3	12
6	24

×	2
4	
	14

×	
5	20
8	

×	
9	18
8	

×	
2	12
4	

×	
2	14
4	

×	
2	
4	36

×	
4	
2	16

×	2
	14
	10

×	9
	36
	18

×	4
7	
	32

×	6
4	
	12

곱셈 퍼즐

 빈칸에 알맞은 수를 써넣으세요.

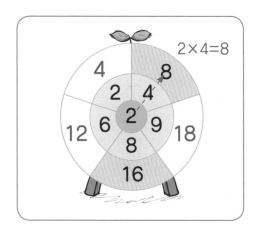

2×4=8

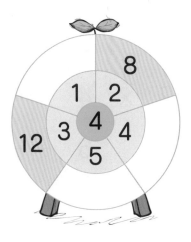

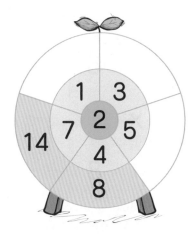

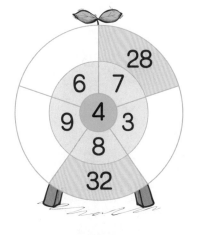

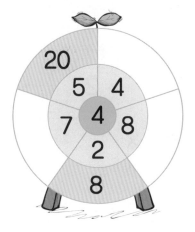

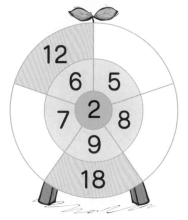

 빈칸에 알맞은 수를 써넣으세요.

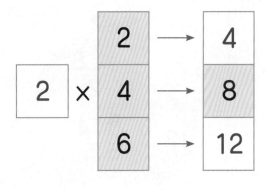

$2 \times$
2	→	4
4	→	8
6	→	12

$2 \times$
5	→	
7	→	
9	→	

$\boxed{} \times$
3	→	12
4	→	
5	→	

$4 \times$
	→	24
	→	28
8	→	

$\boxed{} \times$
1	→	
3	→	
8	→	16

$4 \times$
2	→	
	→	20
	→	36

올바른 계산 결과가 되도록 길을 그려 보세요.

2 × 5	10	2 × 7	12	5 × 5	25
8		14		10	
4 × 4	24	4 × 6	23	2 × 2	4
16		18		35	
4 × 8	32	2 × 8	16	4 × 9	30
24		14		36	
5 × 1	15	5 × 3	27	4 × 5	10
5		18		20	

문장제

 다음을 읽고 알맞은 곱셈식을 쓰고, 답을 구하세요.

동물원에 펭귄 8마리가 있습니다. 다리는 모두 몇 개일까요?

식 : 2 × 8 = 16

 개

색종이를 4장씩 5명에게 나누어 주려고 합니다. 색종이는 모두 몇 장이 필요할까요?

식 :

 장

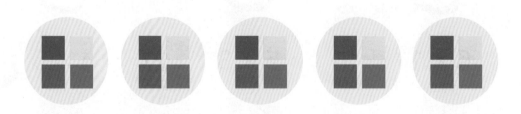

다음을 읽고 알맞은 곱셈식을 쓰고, 답을 구하세요.

접시에 사과가 2개씩 있습니다. 같은 접시 5개가 있다면 사과는 모두 몇 개
일까요?

식 : _____ 개

성냥개비로 네모 모양을 만들었습니다. 네모 모양 6개를 만들려면 성냥개
비는 모두 몇 개 필요할까요?

식 : _____ 개

 다음을 읽고 알맞은 곱셈식을 쓰고, 답을 구하세요.

아파트 앞에 두발자전거가 6대 세워져 있습니다. 바퀴는 모두 몇 개일까요?

식 : _____   □ 개

할머니 댁에는 강아지 4마리가 있습니다. 할머니댁에 있는 강아지의 다리는 모두 몇 개일까요?

식 : _____   □ 개

식탁 위에 사탕이 4개씩 7묶음 있습니다. 사탕은 모두 몇 개일까요?

식 : _____   □ 개

다음을 읽고 알맞은 곱셈식을 쓰고, 답을 구하세요.

꽃밭에 네 잎 클로버가 8개 있습니다. 잎은 모두 몇 개일까요?

식 : _____

[ ] 개

연못에 오리 7마리가 있습니다. 다리는 모두 몇 개일까요?

식 : _____

[ ] 개

주머니에 구슬이 2개씩 9묶음 있습니다. 구슬은 모두 몇 개일까요?

식 : _____

[ ] 개

소마셈 B6 - 2주차

5의 단, 9의 단

5의 단

🌱 5씩 뛰어 세기 한 수 배열표를 보고 규칙을 이용하여 5의 단 곱셈을 해 보세요.

1	2	3	4	5	6	7	8	9	10

$5 \times \boxed{1} = \boxed{5}$ $5 \times \boxed{} = \boxed{}$

11	12	13	14	15	16	17	18	19	20

$5 \times \boxed{} = \boxed{}$ $5 \times \boxed{} = \boxed{}$

21	22	23	24	25	26	27	28	29	30

$5 \times \boxed{} = \boxed{}$ $5 \times \boxed{} = \boxed{}$

31	32	33	34	35	36	37	38	39	40

$5 \times \boxed{} = \boxed{}$ $5 \times \boxed{} = \boxed{}$

41	42	43	44	45	46	47	48	49	50

$5 \times \boxed{} = \boxed{}$

🌱 5씩 뛰어 세기 한 수 배열표를 보고 규칙을 이용하여 5의 단 곱셈을 해 보세요.

1	2	3	4	5 5×1	6	7	8	9	10
11	12	13	14	15	16	17	18	19	20
21	22	23	24	25	26	27	28	29	30
31	32	33	34	35	36	37	38	39	40
41	42	43	44	45	46	47	48	49	50

$5 \times 2 =$ ☐ $5 \times 3 =$ ☐

$5 \times 4 =$ ☐ $5 \times 5 =$ ☐

$5 \times 6 =$ ☐ $5 \times 7 =$ ☐

$5 \times 8 =$ ☐ $5 \times 9 =$ ☐

TIP

5의 단은 곱의 일의 자리 숫자가 5또는 0입니다. 수 배열표를 이용해 수의 규칙을 찾으면 익히기 쉽습니다.

□ 안에 알맞은 수를 써넣으세요.

$5 \times 3 = \boxed{15}$ $5 \times 4 = \boxed{}$

$5 \times 5 = \boxed{}$ $5 \times 2 = \boxed{}$

$5 \times 6 = \boxed{}$ $5 \times 7 = \boxed{}$

$5 \times 4 = \boxed{}$ $5 \times 8 = \boxed{}$

$5 \times 9 = \boxed{}$ $5 \times 1 = \boxed{}$

$5 \times 7 = \boxed{}$ $5 \times 3 = \boxed{}$

9의 단

 9씩 뛰어 세기 한 수 배열표를 보고 9의 단 규칙을 알아보세요.

1	2	3	4	5	6	7	8	9 9×1	10
11	12	13	14	15	16	17	18 9×2	19	20
21	22	23	24	25	26	27 9×3	28	29	30
31	32	33	34	35	36 9×4	37	38	39	40
41	42	43	44	45 9×5	46	47	48	49	50
51	52	53	54 9×6	55	56	57	58	59	60
61	62	63 9×7	64	65	66	67	68	69	70
71	72 9×8	73	74	75	76	77	78	79	80
81 9×9	82	83	84	85	86	87	88	89	90

TIP

5의 단과 9의 단은 특히 규칙을 이용하면 익히기가 쉽습니다. 9의 단은 십의 자리 숫자가 1씩 커지고 일의 자리 숫자가 1씩 작아집니다. 또, 곱의 숫자들의 합이 항상 9입니다.

🌱 9씩 뛰어 세기 한 수 배열표를 보고 규칙을 이용하여 9의 단 곱셈을 해 보세요.

| 1 | 2 | 3 | 4 | 5 | 6 | 7 | 8 | 9 | 10 |

$9 \times \boxed{1} = \boxed{9}$

| 11 | 12 | 13 | 14 | 15 | 16 | 17 | 18 | 19 | 20 |

$9 \times \boxed{} = \boxed{}$

| 21 | 22 | 23 | 24 | 25 | 26 | 27 | 28 | 29 | 30 |

$9 \times \boxed{} = \boxed{}$

| 31 | 32 | 33 | 34 | 35 | 36 | 37 | 38 | 39 | 40 |

$9 \times \boxed{} = \boxed{}$

| 41 | 42 | 43 | 44 | 45 | 46 | 47 | 48 | 49 | 50 |

$9 \times \boxed{} = \boxed{}$

| 51 | 52 | 53 | 54 | 55 | 56 | 57 | 58 | 59 | 60 |

$9 \times \boxed{} = \boxed{}$

| 61 | 62 | 63 | 64 | 65 | 66 | 67 | 68 | 69 | 70 |

$9 \times \boxed{} = \boxed{}$

| 71 | 72 | 73 | 74 | 75 | 76 | 77 | 78 | 79 | 80 |

$9 \times \boxed{} = \boxed{}$

| 81 | 82 | 83 | 84 | 85 | 86 | 87 | 88 | 89 | 90 |

$9 \times \boxed{} = \boxed{}$

□ 안에 알맞은 수를 써넣으세요.

9 × 4 = 36   9 × 1 =

9 × 5 =   9 × 2 =

9 × 4 =   9 × 6 =

9 × 7 =   9 × 3 =

9 × 8 =   9 × 9 =

9 × 4 =   9 × 5 =

곱셈표

 빈칸에 알맞은 수를 써넣으세요.

×	1	2	3	4	5	6	7	8	9
5	5								
9	9								

×	2
5	10
9	18

×	5
5	
9	

×	4
5	
9	

×	6
5	
9	

×	7
5	
9	

×	8
5	
9	

×	9
5	
9	

×	3
5	
9	

빈칸에 알맞은 수를 써넣으세요.

×	1	2	3
5			
9			

×	4	5	6
5			
9			

×	7	8	9
5			
9			

×	3	5	7
5			
9			

×	2	4	6
5			
9			

×	3	6	9
5			
9			

 빈칸에 알맞은 수를 써넣으세요.

×	5
4	20
7	35

×	9
3	
	36

×	
5	45
6	

×	
7	35
8	

×	
5	30
9	

×	
5	25
9	

×	
5	
9	18

×	
5	
9	54

×	5
	10
	45

×	3
5	
	27

×	9
7	
	72

×	4
9	
	20

곱셈 퍼즐

🌱 🌳 안에는 각 줄의 △ 안의 두 수의 곱이 들어갑니다. 🌳 안에 알맞은 수를 써넣으세요.

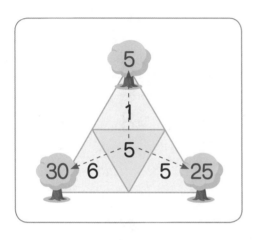

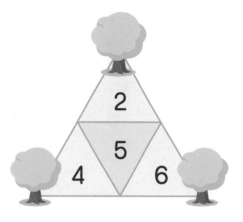

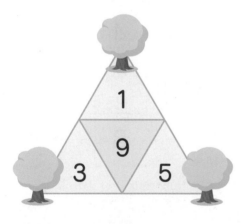

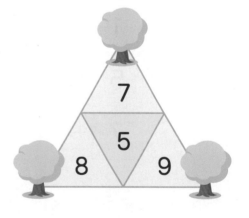

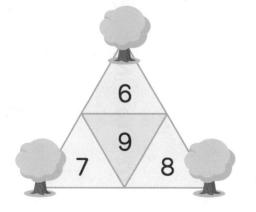

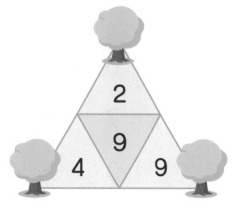

 빈칸에 알맞은 수를 써넣으세요.

	1 →	5
5 ×	2 →	10
	3 →	15

	4 →	
5 ×	6 →	
	8 →	

	1 →	9
☐ ×	5 →	
	7 →	

	4 →	
9 ×	→	54
	8 →	

	5 →	
☐ ×	7 →	
	9 →	45

	2 →	
9 ×	3 →	27
	9 →	

 올바른 계산 결과가 되도록 길을 그려 보세요.

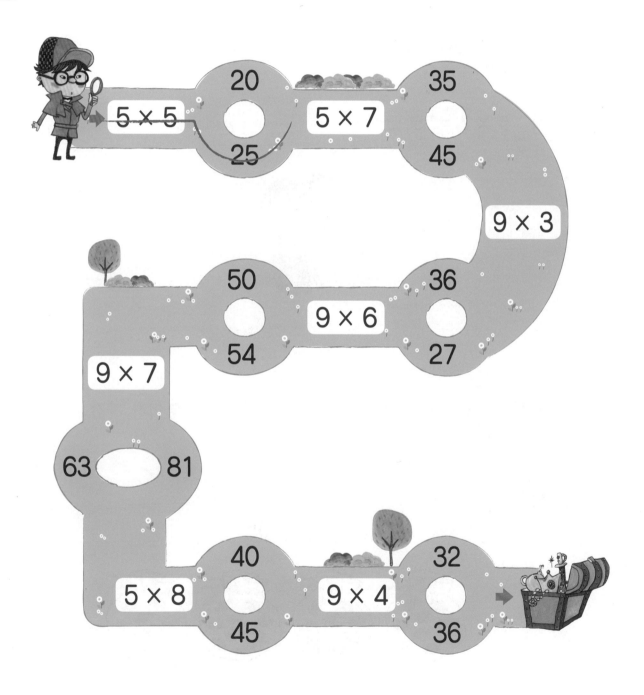

문장제

 다음을 읽고 알맞은 곱셈식을 쓰고, 답을 구하세요.

준희는 매일 물을 5잔씩 마십니다. 준희가 일주일 동안 마시는 물은 모두 몇 잔일까요?

식 : 5 × 7 = 35

 잔

수영이는 사탕을 9개씩 4묶음 가지고 있습니다. 수영이가 가진 사탕은 모두 몇 개일까요?

식 :

 개

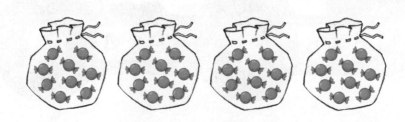

다음을 읽고 알맞은 곱셈식을 쓰고, 답을 구하세요.

농구는 5명의 선수가 한 팀이 되어 경기를 합니다. 4팀이 있다면 선수는 모두 몇 명일까요?

식 : _____

 명

동주는 동화책을 하루에 9쪽씩 읽었습니다. 동주가 6일 동안 읽은 동화책은 모두 몇 쪽일까요?

식 : _____

 쪽

 다음을 읽고 알맞은 곱셈식을 쓰고, 답을 구하세요.

달리기를 하기 위해서 학생들이 한 줄에 9명씩 5줄로 서 있습니다. 학생은 모두 몇 명일까요?

식 : _____

명

접시 한 개에 빵을 5개씩 담았습니다. 접시 5개에 담겨 있는 빵은 모두 몇 개일까요?

식 : _____

개

한 대에 5명씩 탈 수 있는 자동차가 6대 있습니다. 모두 몇 명이 탈 수 있을까요?

식 : _____

 명

 다음을 읽고 알맞은 곱셈식을 쓰고, 답을 구하세요.

야구는 9명의 선수가 한 팀이 되어 경기를 합니다. 2팀이 경기를 하면 선수는 모두 몇 명일까요?

식 : _____   ☐ 명

채은이네 반에서 5명씩 모둠을 정했더니 남는 사람없이 6모둠이 되었습니다. 채은이네 반 학생은 모두 몇 명일까요?

식 : _____   ☐ 명

성주는 9명의 친구들에게 초콜렛을 8개씩 나누어 주려고 합니다. 초콜렛은 몇 개가 필요할까요?

식 : _____   ☐ 개

Note

소마셈 B6 - 3주차

3의 단, 6의 단

3의 단

 3씩 뛰어 세기를 이용하여 3의 단 곱셈을 해 보세요.

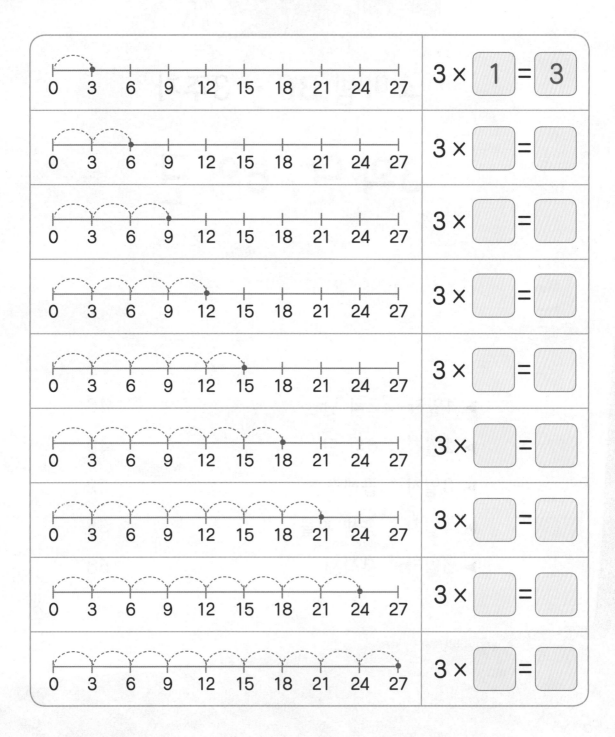

$3 \times \boxed{1} = \boxed{3}$

$3 \times \boxed{} = \boxed{}$

$3 \times \boxed{} = \boxed{}$

$3 \times \boxed{} = \boxed{}$

$3 \times \boxed{} = \boxed{}$

$3 \times \boxed{} = \boxed{}$

$3 \times \boxed{} = \boxed{}$

$3 \times \boxed{} = \boxed{}$

$3 \times \boxed{} = \boxed{}$

3씩 뛰어 세기를 수직선에 나타내어 보고, □ 안에 알맞은 수를 써넣으세요.

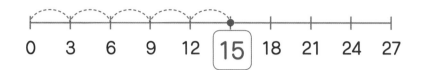

0 3 6 9 12 15 18 21 24 27

$3 \times$ 5 $=$ 15

0 3 6 9 12 15 18 21 24 27

$3 \times$ ☐ $=$ ☐

0 3 6 9 12 15 18 21 24 27

$3 \times$ ☐ $=$ ☐

0 3 6 9 12 15 18 21 24 27

$3 \times$ ☐ $=$ ☐

0 3 6 9 12 15 18 21 24 27

$3 \times$ ☐ $=$ ☐

0 3 6 9 12 15 18 21 24

$3 \times$ ☐ $=$ ☐

□ 안에 알맞은 수를 써넣으세요.

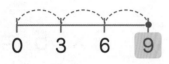

3 × 3 = 9

3 × 4 =

3 × 5 =

3 × 1 =

3 × 7 =

3 × 8 =

3 × 9 =

3 × 2 =

3 × 6 =

3 × 5 =

3 × 4 =

3 × 7 =

2 일 차 6의 단

🌱 6씩 뛰어 세기 한 수를 빈칸에 쓰고, 6의 단 곱셈을 해 보세요.

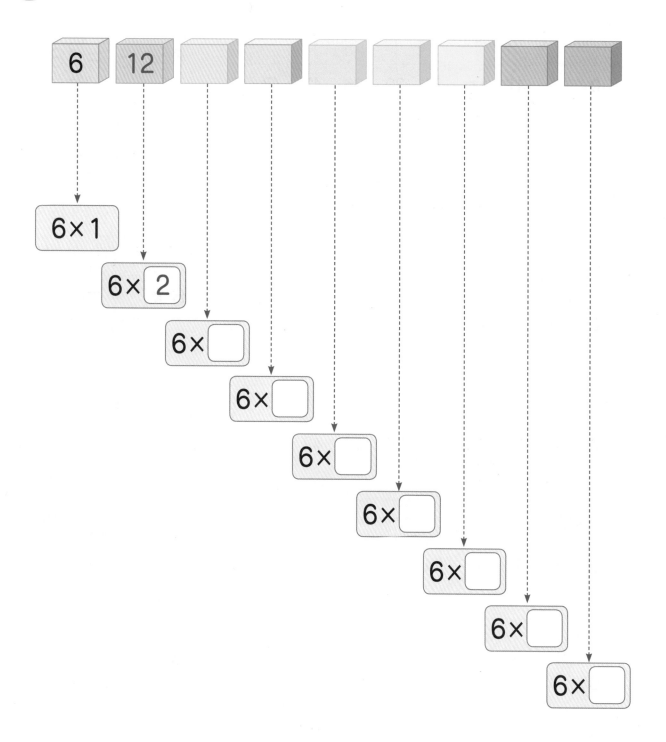

| 6 | 12 | | | | | | | |

6×1

6×2

6×☐

6×☐

6×☐

6×☐

6×☐

6×☐

6×☐

 6씩 뛰어 세기를 이용하여 □ 안에 알맞은 수를 써넣으세요.

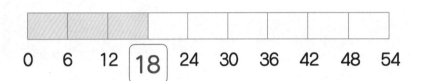

0 6 12 **18** 24 30 36 42 48 54

$6 \times$ **3** $=$ **18**

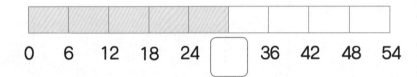

0 6 12 18 24 ☐ 36 42 48 54

$6 \times ☐ = ☐$

0 6 12 18 24 30 ☐ 42 48 54

$6 \times ☐ = ☐$

0 6 12 18 24 30 36 42 ☐ 54

$6 \times ☐ = ☐$

0 6 12 18 24 30 36 ☐ 48 54

$6 \times ☐ = ☐$

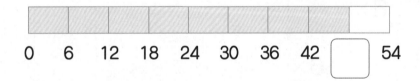

0 6 12 18 24 30 36 42 48 ☐

$6 \times ☐ = ☐$

월

일

 □ 안에 알맞은 수를 써넣으세요.

6 × 5 = 30

6 × 4 =

6 × 6 =

6 × 7 =

6 × 2 =

6 × 8 =

6 × 9 =

6 × 1 =

6 × 3 =

6 × 5 =

6 × 8 =

6 × 7 =

곱셈표

 빈칸에 알맞은 수를 써넣으세요.

×	1	2	3	4	5	6	7	8	9
3	3								
6	6								

×	2
3	6
6	12

×	4
3	
6	

×	6
3	
6	

×	8
3	
6	

×	3
3	
6	

×	5
3	
6	

×	7
3	
6	

×	9
3	
6	

빈칸에 알맞은 수를 써넣으세요.

×	1	2	3
3			
6			

×	4	5	6
3			
6			

×	7	8	9
3			
6			

×	3	5	7
3			
6			

×	2	4	6
3			
6			

×	3	6	9
3			
6			

 빈칸에 알맞은 수를 써넣으세요.

×	3
5	15
6	18

×	6
4	
	36

×	
3	9
8	

×	
2	12
8	

×	
3	24
6	

×	
3	12
6	

×	
6	
3	27

×	
6	
3	21

×	3
	27
	6

×	6
6	
	18

×	5
6	
	15

×	6
9	
	48

곱셈 퍼즐

🌱 ⭐ 안에는 각 줄의 □ 안의 두 수의 곱이 들어갑니다. ⭐ 안에 알맞은 수를 써넣으세요.

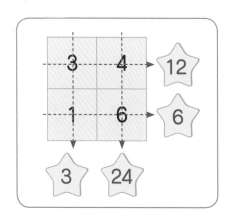

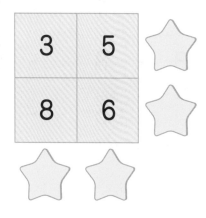

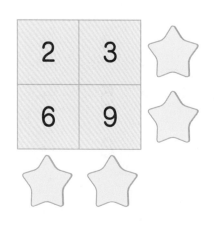

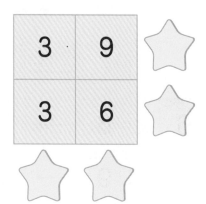

 빈칸에 알맞은 수를 써넣으세요.

$3 \times$
1	→	3
3	→	9
5	→	15

$3 \times$
2	→	
7	→	
9	→	

$\square \times$
4	→	
6	→	18
8	→	

$6 \times$
4	→	
5	→	
8	→	

$\square \times$
2	→	12
3	→	
7	→	

$6 \times$
	→	30
6	→	
9	→	

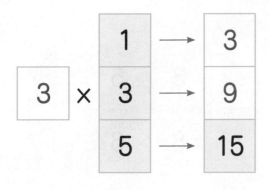

🌱 올바른 계산 결과를 찾아 선을 그어 보세요.

3×5 •   • 9 2×6 •   • 42

6×5 •   • 15 6×7 •   • 24

3×3 •   • 30 3×8 •   • 12

4×3 •   • 36 3×2 •   • 6

3×7 •   • 12 4×6 •   • 18

6×6 •   • 21 3×6 •   • 24

6×8 •   • 27 5×3 •   • 15

6×9 •   • 48 3×9 •   • 42

9×3 •   • 54 6×7 •   • 27

문장제

 다음을 읽고 알맞은 곱셈식을 쓰고, 답을 구하세요.

수정이가 색종이를 3장씩 4명에게 나누어 주려고 합니다. 색종이는 모두 몇 장이 필요할까요?

식 : 3 × 4 = 12

 장

선물 포장을 하는데 길이가 6cm인 리본이 3개 필요합니다. 리본은 모두 몇 cm가 필요할까요?

식 : _____

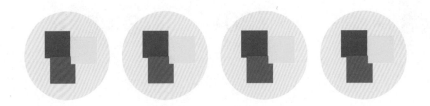 cm

다음을 읽고 알맞은 곱셈식을 쓰고, 답을 구하세요.

바구니 한 개에 귤을 6개씩 담았습니다. 바구니 6개에 담긴 귤은 모두 몇 개일까요?

식 : _____ 개

성냥개비로 세모 모양을 만들었습니다. 세모 모양 5개를 만들려면 성냥개비는 모두 몇 개 필요할까요?

식 : _____ 개

 다음을 읽고 알맞은 곱셈식을 쓰고, 답을 구하세요.

세발 자전거가 7대 있습니다. 바퀴는 모두 몇 개일까요?

식 : _____ ☐ 개

건우와 아빠가 팔굽혀펴기를 했습니다. 건우는 3번을 했고, 아빠는 건우의 8배만큼 했습니다. 아빠는 팔굽혀펴기를 몇 번 했을까요?

식 : _____ ☐ 번

메뚜기 한 마리의 다리는 6개입니다. 메뚜기 5마리의 다리는 모두 몇 개일까요?

식 : _____ ☐ 개

 다음을 읽고 알맞은 곱셈식을 쓰고, 답을 구하세요.

상자에 야구공을 6개씩 담았습니다. 상자 4개에 담은 야구공은 모두 몇 개일까요?

식 : _____

□ 개

사과가 한 봉지에 3개씩 담겨 있습니다. 9봉지에 담긴 사과는 모두 몇 개일까요?

식 : _____

□ 개

책꽂이 한 칸에는 6권씩 책을 꽂을 수 있습니다. 책꽂이 9칸에는 책을 모두 몇 권 꽂을 수 있을까요?

식 : _____

□ 권

Note

소마셈 B6 - 4주차

7의 단, 8의 단

7의 단

7씩 뛰어 세기 한 수를 빈칸에 쓰고, 7의 단 곱셈을 해 보세요.

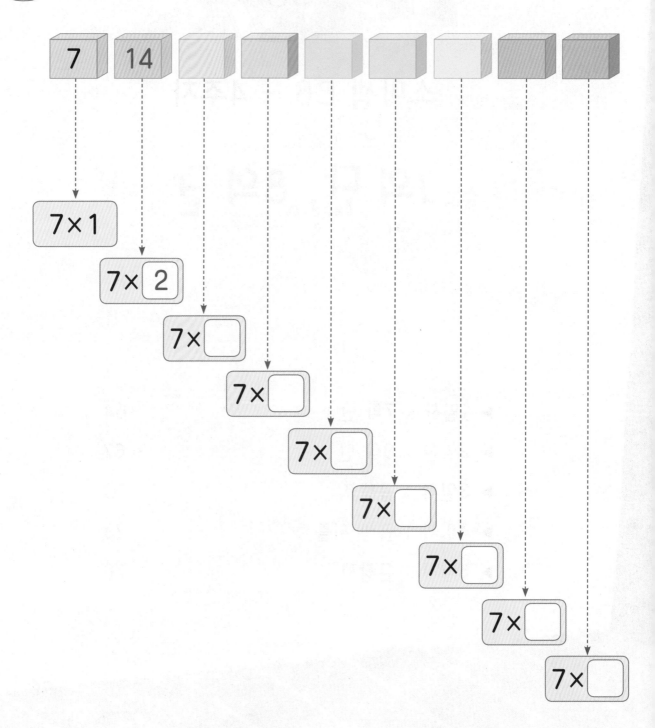

| 7 | 14 | | | | | | | |

7×1

$7 \times \boxed{2}$

$7 \times \boxed{}$

$7 \times \boxed{}$

$7 \times \boxed{}$

$7 \times \boxed{}$

$7 \times \boxed{}$

$7 \times \boxed{}$

$7 \times \boxed{}$

7씩 뛰어 세기를 이용하여 □ 안에 알맞은 수를 써넣으세요.

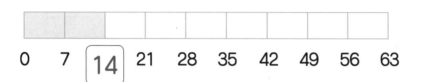

0 7 **14** 21 28 35 42 49 56 63

$7 \times 2 = 14$

0 7 14 □ 28 35 42 49 56 63

$7 \times \boxed{} = \boxed{}$

0 7 14 21 28 □ 42 49 56 63

$7 \times \boxed{} = \boxed{}$

0 7 14 21 28 35 42 □ 56 63

$7 \times \boxed{} = \boxed{}$

0 7 14 21 28 35 42 49 56 □

$7 \times \boxed{} = \boxed{}$

0 7 14 21 28 35 □ 49 56 63

$7 \times \boxed{} = \boxed{}$

□ 안에 알맞은 수를 써넣으세요.

7 × 2 = 14

7 × 3 = ☐

7 × 6 = ☐

7 × 5 = ☐

7 × 1 = ☐

7 × 8 = ☐

7 × 4 = ☐

7 × 7 = ☐

7 × 9 = ☐

7 × 6 = ☐

7 × 8 = ☐

7 × 5 = ☐

8의 단

🌱 8씩 뛰어 세기 한 수를 빈칸에 쓰고, 8의 단 곱셈을 해 보세요.

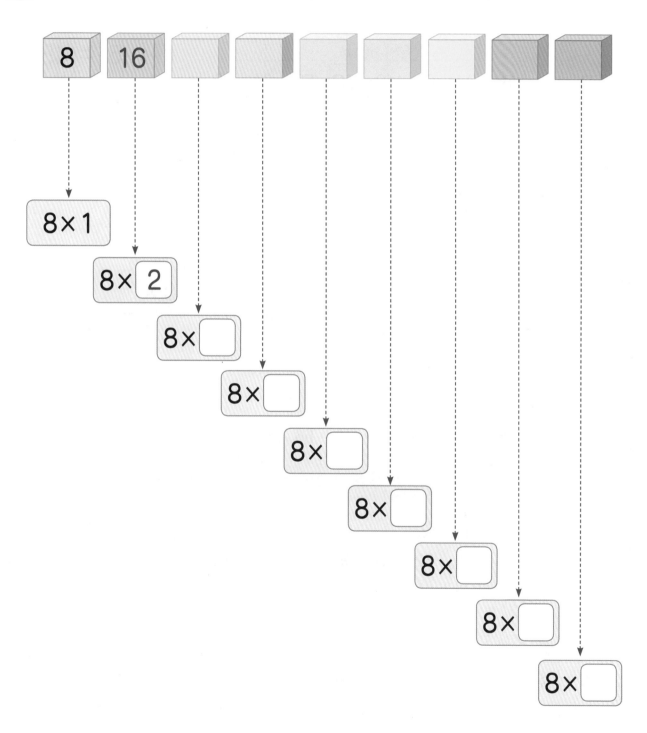

| 8 | 16 | | | | | | | |

8×1

8×2

8×☐

8×☐

8×☐

8×☐

8×☐

8×☐

8×☐

 8씩 뛰어 세기를 이용하여 □ 안에 알맞은 수를 써넣으세요.

| 0 | 8 | 16 | 24 | 32 | 40 | 48 | 56 | 64 | 72 |

8 × 6 = 48

| 0 | 8 | 16 | 24 | 32 | □ | 48 | 56 | 64 | 72 |

8 × □ = □

| 0 | 8 | 16 | □ | 32 | 40 | 48 | 56 | 64 | 72 |

8 × □ = □

| 0 | 8 | 16 | 24 | □ | 40 | 48 | 56 | 64 | 72 |

8 × □ = □

| 0 | 8 | 16 | 24 | 32 | 40 | 48 | 56 | □ | 72 |

8 × □ = □

| 0 | 8 | 16 | 24 | 32 | 40 | 48 | □ | 64 | 72 |

8 × □ = □

□ 안에 알맞은 수를 써넣으세요.

$8 \times 3 =$ 24

$8 \times 5 =$

$8 \times 2 =$

$8 \times 7 =$

$8 \times 6 =$

$8 \times 8 =$

$8 \times 9 =$

$8 \times 4 =$

$8 \times 1 =$

$8 \times 3 =$

$8 \times 8 =$

$8 \times 6 =$

곱셈표

 빈칸에 알맞은 수를 써넣으세요.

×	1	2	3	4	5	6	7	8	9
7	7								
8	8								

×	2
7	14
8	16

×	4
7	
8	

×	6
7	
8	

×	8
7	
8	

×	3
7	
8	

×	5
7	
8	

×	7
7	
8	

×	9
7	
8	

빈칸에 알맞은 수를 써넣으세요.

×	1	2	3
7			
8			

×	4	5	6
7			
8			

×	7	8	9
7			
8			

×	3	5	7
7			
8			

×	2	4	6
7			
8			

×	3	6	9
7			
8			

빈칸에 알맞은 수를 써넣으세요.

×	2
8	16
7	14

×	8
	24
5	

×	
3	21
8	

×	
8	32
7	

×	
7	35
8	

×	3
7	
8	

×	
7	
8	56

×	8
7	
8	

×	9
8	
	63

×	6
8	
	42

×	8
	32
6	

×	7
9	
4	

곱셈 퍼즐

🌱 빈칸에 알맞은 수를 써넣으세요.

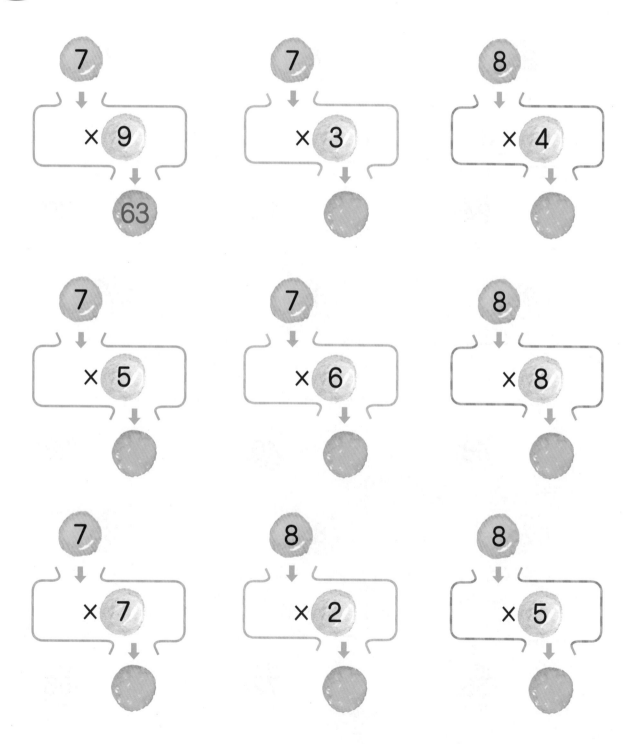

빈칸에 알맞은 수를 써넣으세요.

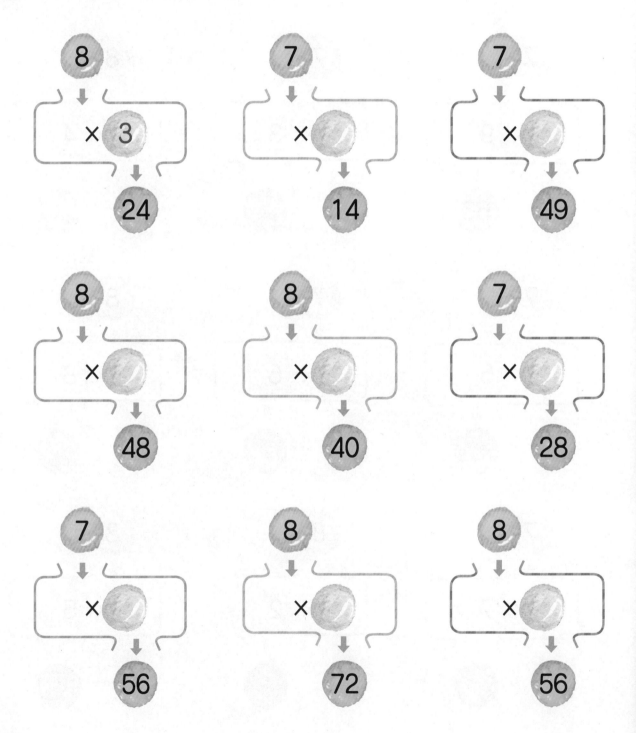

빈칸에 알맞은 수를 써넣으세요.

7 ×	2 →	14
	3 →	21
	4 →	28

8 ×	2 →	
	5 →	
	6 →	

□ ×	1 →	8
	4 →	
	9 →	

7 ×	5 →	
	6 →	
	7 →	

□ ×	3 →	21
	8 →	
	9 →	

8 ×	3 →	
	□ →	56
	8 →	

문장제

 다음을 읽고 알맞은 곱셈식을 쓰고, 답을 구하세요.

문어 한 마리의 다리 수는 8개입니다. 문어 5마리의 다리는 모두 몇 개일까요?

식 : 8 × 5 = 40

 개

사과 7개를 4조각씩 잘랐습니다. 사과는 모두 몇 조각일까요?

식 :

 조각

다음을 읽고 알맞은 곱셈식을 쓰고, 답을 구하세요.

태준이는 하루에 7쪽씩 일주일 동안 책을 읽었습니다. 태준이가 일주일 동안 읽은 책은 모두 몇 쪽일까요?

식 : _____   쪽

승합차 한 대에 8명이 탈 수 있습니다. 승합차 3대에는 모두 몇 명이 탈 수 있을까요?

식 : _____   명

다음을 읽고 알맞은 곱셈식을 쓰고, 답을 구하세요.

상자에 탁구공을 7개씩 담았습니다. 상자 3개에 담은 탁구공은 모두 몇 개일까요?

식 : _____

[ ] 개

선생님께서 8명의 친구들에게 공책을 2권씩 나누어 주려고 합니다. 공책은 모두 몇 권이 필요할까요?

식 : _____

[ ] 권

어린이 한 명이 풍선을 7개씩 들고 있습니다. 6명의 어린이가 들고 있는 풍선은 모두 몇 개일까요?

식 : _____

[ ] 개

 다음을 읽고 알맞은 곱셈식을 쓰고, 답을 구하세요.

기령이는 종이배를 하루에 8개씩 만들었습니다. 기령이가 일주일 동안 만든 종이배는 모두 몇 개일까요?

식 : _____   □ 개

상자 안에 쿠키가 8개씩 4줄이 담겨 있습니다. 상자에 들어있는 쿠키는 모두 몇 개일까요?

식 : _____   □ 개

운동장에 어린이가 7명씩 5줄로 서 있습니다. 운동장에 있는 어린이는 모두 몇 명일까요?

식 : _____   □ 명

Note

Drill

2의 단, 4의 단

□ 안에 알맞은 수를 써넣으세요.

2 × 3 = ☐

4 × 3 = ☐

2 × 2 = ☐

2 × 6 = ☐

4 × 8 = ☐

2 × 7 = ☐

4 × 5 = ☐

4 × 4 = ☐

2 × 9 = ☐

2 × 5 = ☐

4 × 7 = ☐

2 × 1 = ☐

2 × 4 = ☐

2 × 8 = ☐

□ 안에 알맞은 수를 써넣으세요.

$4 \times 2 =$ ☐

$4 \times 1 =$ ☐

$4 \times 5 =$ ☐

$2 \times 6 =$ ☐

$4 \times 8 =$ ☐

$4 \times 9 =$ ☐

$2 \times 5 =$ ☐

$2 \times 9 =$ ☐

$2 \times 6 =$ ☐

$4 \times 6 =$ ☐

$4 \times 3 =$ ☐

$2 \times 7 =$ ☐

$4 \times 4 =$ ☐

$4 \times 8 =$ ☐

□ 안에 알맞은 수를 써넣으세요.

2 × 4 = ☐

2 × 5 = ☐

2 × 6 = ☐

4 × 6 = ☐

4 × 3 = ☐

4 × 8 = ☐

4 × 2 = ☐

4 × 7 = ☐

4 × 5 = ☐

2 × 9 = ☐

2 × 7 = ☐

2 × 2 = ☐

4 × 7 = ☐

2 × 8 = ☐

□ 안에 알맞은 수를 써넣으세요.

$4 \times 4 =$ ☐

$2 \times 5 =$ ☐

$2 \times 6 =$ ☐

$4 \times 3 =$ ☐

$2 \times 4 =$ ☐

$4 \times 7 =$ ☐

$2 \times 5 =$ ☐

$2 \times 9 =$ ☐

$4 \times 9 =$ ☐

$4 \times 5 =$ ☐

$2 \times 4 =$ ☐

$2 \times 8 =$ ☐

$4 \times 6 =$ ☐

$4 \times 2 =$ ☐

빈칸에 알맞은 수를 써넣으세요.

×	1	3	5
2			
4			

×	2	4	6
2			
4			

×	7	2	9
2			
4			

×	3	5	8
2			
4			

×	6	7	8
4			
2			

×	4	6	9
4			
2			

빈칸에 알맞은 수를 써넣으세요.

×	3
2	
4	

×	4
2	
4	

×	6
4	
2	

×	8
4	
2	

×	
2	4
4	

×	
4	
2	14

×	
2	
4	20

×	
2	18
4	

×	
9	
5	10

×	4
6	
	8

×	8
4	
	16

×	7
2	
	28

빈칸에 알맞은 수를 써넣으세요.

×	2	3	5
2			
4			

×	3	4	6
2			
4			

×	6	2	8
2			
4			

×	7	8	9
2			
4			

×	5	3	6
4			
2			

×	3	6	9
4			
2			

빈칸에 알맞은 수를 써넣으세요.

×	6
2	
4	

×	5
2	
4	

×	7
4	
2	

×	9
4	
2	

×	
2	
4	20

×	
3	12
4	

×	
2	16
4	

×	2
4	
	14

×	
6	
4	8

×	4
	28
8	

×	6
4	
	12

×	8
2	
	32

5의 단, 9의 단

□ 안에 알맞은 수를 써넣으세요.

5 × 3 = □   5 × 7 = □

9 × 8 = □   9 × 2 = □

5 × 9 = □   5 × 6 = □

5 × 5 = □   5 × 8 = □

9 × 3 = □   9 × 5 = □

5 × 1 = □   5 × 6 = □

5 × 4 = □   5 × 2 = □

□ 안에 알맞은 수를 써넣으세요.

9 × 2 = ☐

5 × 3 = ☐

9 × 3 = ☐

9 × 7 = ☐

5 × 4 = ☐

5 × 7 = ☐

9 × 1 = ☐

5 × 9 = ☐

9 × 4 = ☐

9 × 6 = ☐

5 × 8 = ☐

9 × 8 = ☐

9 × 5 = ☐

9 × 9 = ☐

□ 안에 알맞은 수를 써넣으세요.

$5 \times 2 =$ ☐

$5 \times 7 =$ ☐

$9 \times 4 =$ ☐

$5 \times 5 =$ ☐

$9 \times 6 =$ ☐

$5 \times 1 =$ ☐

$9 \times 3 =$ ☐

$5 \times 4 =$ ☐

$9 \times 2 =$ ☐

$5 \times 6 =$ ☐

$9 \times 5 =$ ☐

$9 \times 7 =$ ☐

$5 \times 8 =$ ☐

$5 \times 9 =$ ☐

□ 안에 알맞은 수를 써넣으세요.

$5 \times 4 =$ ☐

$9 \times 2 =$ ☐

$5 \times 6 =$ ☐

$9 \times 3 =$ ☐

$5 \times 7 =$ ☐

$5 \times 8 =$ ☐

$9 \times 6 =$ ☐

$5 \times 3 =$ ☐

$9 \times 4 =$ ☐

$9 \times 5 =$ ☐

$5 \times 5 =$ ☐

$5 \times 9 =$ ☐

$9 \times 7 =$ ☐

$9 \times 8 =$ ☐

빈칸에 알맞은 수를 써넣으세요.

×	1	3	5
5			
9			

×	2	4	6
5			
9			

×	2	7	8
5			
9			

×	3	5	9
5			
9			

×	5	6	7
9			
5			

×	4	8	9
9			
5			

빈칸에 알맞은 수를 써넣으세요.

×	2
5	
9	

×	5
5	
9	

×	7
9	
5	

×	9
9	
5	

×	
5	15
9	

×	6
9	
5	

×	
5	40
9	

×	
5	
9	18

×	
8	
5	25

×	
5	45
8	

×	7
5	
	63

×	4
9	
5	

빈칸에 알맞은 수를 써넣으세요.

×	2	3	5
5			
9			

×	3	6	8
5			
9			

×	3	7	9
9			
5			

×	6	4	8
9			
5			

×	2	5	7
9			
5			

×	3	4	9
9			
5			

빈칸에 알맞은 수를 써넣으세요.

×	3
5	
9	

×	4
5	
9	

×	6
9	
5	

×	4
9	
5	

×	
5	20
9	

×	
9	18
5	

×	
5	
9	36

×	
9	27
5	

×	
4	
5	30

×	
5	40
9	

×	4
5	
9	

×	
9	
5	15

3의 단, 6의 단

□ 안에 알맞은 수를 써넣으세요.

3 × 3 = ☐   6 × 7 = ☐

3 × 5 = ☐   6 × 2 = ☐

3 × 1 = ☐   3 × 2 = ☐

3 × 8 = ☐   3 × 4 = ☐

3 × 9 = ☐   3 × 7 = ☐

6 × 3 = ☐   3 × 4 = ☐

6 × 4 = ☐   6 × 6 = ☐

□ 안에 알맞은 수를 써넣으세요.

6 × 5 = ☐

3 × 6 = ☐

6 × 2 = ☐

3 × 5 = ☐

6 × 4 = ☐

6 × 6 = ☐

3 × 3 = ☐

6 × 1 = ☐

6 × 7 = ☐

6 × 8 = ☐

3 × 7 = ☐

6 × 9 = ☐

3 × 8 = ☐

6 × 3 = ☐

□ 안에 알맞은 수를 써넣으세요.

3 × 5 = ☐

3 × 6 = ☐

6 × 2 = ☐

3 × 7 = ☐

6 × 4 = ☐

6 × 5 = ☐

3 × 9 = ☐

3 × 3 = ☐

6 × 3 = ☐

6 × 6 = ☐

6 × 7 = ☐

3 × 4 = ☐

3 × 8 = ☐

6 × 8 = ☐

□ 안에 알맞은 수를 써넣으세요.

6 × 4 = ☐

3 × 6 = ☐

3 × 2 = ☐

6 × 3 = ☐

6 × 8 = ☐

3 × 5 = ☐

3 × 7 = ☐

3 × 8 = ☐

6 × 2 = ☐

6 × 5 = ☐

3 × 8 = ☐

6 × 6 = ☐

6 × 9 = ☐

3 × 9 = ☐

빈칸에 알맞은 수를 써넣으세요.

×	3	4	5
3			
6			

×	6	7	8
3			
6			

×	1	5	9
3			
6			

×	2	6	1
3			
6			

×	2	4	8
6			
3			

×	4	3	7
6			
3			

빈칸에 알맞은 수를 써넣으세요.

×	4
3	
6	

×	5
3	
6	

×	7
6	
3	

×	8
6	
3	

×	
3	6
6	

×	9
6	
3	

×	
3	9
6	

×	
6	
3	15

×	
9	
3	18

×	6
8	
6	

×	3
	21
5	

×	6
2	
	54

빈칸에 알맞은 수를 써넣으세요.

×	2	3	5
3			
6			

×	4	7	8
3			
6			

×	1	4	9
6			
3			

×	2	5	3
6			
3			

×	3	6	8
6			
3			

×	4	8	9
6			
3			

빈칸에 알맞은 수를 써넣으세요.

×	6
3	
6	

×	8
3	
6	

×	4
6	
3	

×	5
6	
3	

×	
3	18
6	

×	3
6	
3	

×	
3	12
6	

×	
6	
3	21

×	
5	
3	15

×	
8	24
6	

×	3
	12
6	

×	4
6	
5	

7의 단, 8의 단

□ 안에 알맞은 수를 써넣으세요.

7 × 5 = ☐

7 × 6 = ☐

8 × 4 = ☐

7 × 3 = ☐

8 × 6 = ☐

7 × 9 = ☐

7 × 7 = ☐

7 × 1 = ☐

8 × 2 = ☐

7 × 2 = ☐

7 × 4 = ☐

7 × 8 = ☐

8 × 5 = ☐

7 × 6 = ☐

□ 안에 알맞은 수를 써넣으세요.

8 × 3 = ☐   7 × 3 = ☐

7 × 4 = ☐   8 × 4 = ☐

8 × 2 = ☐   8 × 5 = ☐

8 × 6 = ☐   8 × 1 = ☐

8 × 7 = ☐   8 × 9 = ☐

7 × 6 = ☐   7 × 8 = ☐

8 × 8 = ☐   7 × 2 = ☐

□ 안에 알맞은 수를 써넣으세요.

7 × 4 = ☐

7 × 6 = ☐

8 × 3 = ☐

7 × 5 = ☐

8 × 2 = ☐

7 × 8 = ☐

8 × 4 = ☐

7 × 2 = ☐

8 × 6 = ☐

7 × 3 = ☐

8 × 5 = ☐

8 × 7 = ☐

7 × 7 = ☐

7 × 9 = ☐

□ 안에 알맞은 수를 써넣으세요.

8 × 4 = ☐   7 × 2 = ☐

7 × 5 = ☐   8 × 9 = ☐

8 × 3 = ☐   8 × 5 = ☐

7 × 6 = ☐   7 × 7 = ☐

8 × 7 = ☐   7 × 6 = ☐

8 × 8 = ☐   8 × 9 = ☐

7 × 4 = ☐   8 × 2 = ☐

빈칸에 알맞은 수를 써넣으세요.

×	1	3	5
7			
8			

×	2	4	6
7			
8			

×	2	7	8
7			
8			

×	3	5	9
7			
8			

×	5	6	7
8			
7			

×	4	8	9
8			
7			

빈칸에 알맞은 수를 써넣으세요.

×	3
7	
8	

×	6
7	
8	

×	5
8	
7	

×	9
8	
7	

×	4
8	
	36

×	7
8	
	49

×	8
	16
8	

×	7
9	
5	

×	
6	
3	21

×	8
8	
6	

×	8
	32
9	

×	7
2	
	28

빈칸에 알맞은 수를 써넣으세요.

×	2	3	5
7			
8			

×	1	4	7
7			
8			

×	2	6	9
8			
7			

×	3	5	8
8			
7			

×	5	6	8
8			
7			

×	3	7	9
8			
7			

빈칸에 알맞은 수를 써넣으세요.

×	4
7	
8	

×	6
7	
8	

×	8
8	
7	

×	5
8	
7	

×	3
8	
	21

×	7
8	
	35

×	8
	24
6	

×	8
9	
4	

×	
6	
4	28

×	8
7	
3	

×	8
	40
9	

×	7
4	
	14

정답

2의 단

P 10 ~ 11

2씩 뛰어 세기를 이용하여 2의 단 곱셈을 해 보세요.

$2 \times \boxed{1} = 2$

$2 \times \boxed{2} = 4$

$2 \times \boxed{3} = 6$

$2 \times \boxed{4} = 8$

$2 \times \boxed{5} = 10$

$2 \times \boxed{6} = 12$

$2 \times \boxed{7} = 14$

$2 \times \boxed{8} = 16$

$2 \times \boxed{9} = 18$

2씩 뛰어 세기를 수직선에 나타내어 보고, □ 안에 알맞은 수를 써넣으세요.

$2 \times \boxed{3} = 6$

$2 \times \boxed{5} = 10$

$2 \times \boxed{6} = 12$

$2 \times \boxed{9} = 18$

$2 \times \boxed{7} = 14$

$2 \times \boxed{8} = 16$

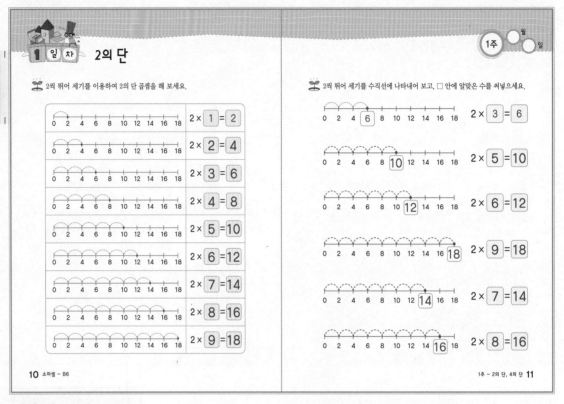

4의 단

P 12 ~ 13

□ 안에 알맞은 수를 써넣으세요.

$2 \times 3 = \boxed{6}$

$2 \times 5 = \boxed{10}$

$2 \times 1 = \boxed{2}$

$2 \times 6 = \boxed{12}$

$2 \times 2 = \boxed{4}$

$2 \times 4 = \boxed{8}$

$2 \times 4 = \boxed{8}$

$2 \times 6 = \boxed{12}$

$2 \times 8 = \boxed{16}$

$2 \times 9 = \boxed{18}$

$2 \times 5 = \boxed{10}$

$2 \times 7 = \boxed{14}$

4씩 뛰어 세기를 이용하여 4의 단 곱셈을 해 보세요.

$4 \times \boxed{1} = 4$

$4 \times \boxed{2} = 8$

$4 \times \boxed{3} = 12$

$4 \times \boxed{4} = 16$

$4 \times \boxed{5} = 20$

$4 \times \boxed{6} = 24$

$4 \times \boxed{7} = 28$

$4 \times \boxed{8} = 32$

$4 \times \boxed{9} = 36$

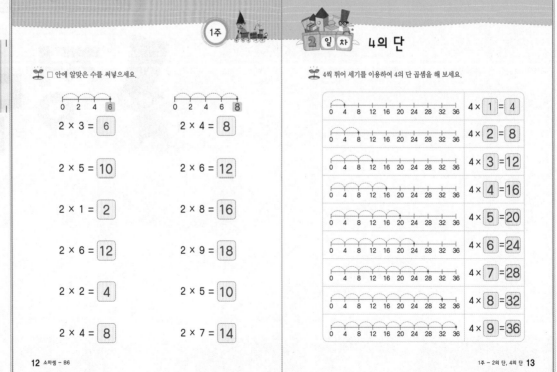

신나는 연산!

🌱 4씩 뛰어 세기를 수직선에 나타내어 보고, □ 안에 알맞은 수를 써넣으세요.

0 4 8 12 [16] 20 24 28 32 36 $4 \times [4] = 16$

0 4 8 [12] 16 20 24 28 32 36 $4 \times [3] = 12$

0 4 8 12 16 [20] 24 28 32 36 $4 \times [5] = 20$

0 4 8 12 16 20 24 [28] 32 36 $4 \times [7] = 28$

0 4 8 12 16 20 24 28 [32] 36 $4 \times [8] = 32$

0 4 8 12 16 20 24 28 32 [36] $4 \times [9] = 36$

14 소마셈 – B6

🌱 □ 안에 알맞은 수를 써넣으세요.

0 4 [8]

$4 \times 2 = [8]$

$4 \times 3 = [12]$

$4 \times 6 = [24]$

$4 \times 5 = [20]$

$4 \times 7 = [28]$

$4 \times 9 = [36]$

0 4 8 12 [16]

$4 \times 4 = [16]$

$4 \times 1 = [4]$

$4 \times 7 = [28]$

$4 \times 4 = [16]$

$4 \times 8 = [32]$

$4 \times 5 = [20]$

1주 – 2의 단, 4의 단 15

P
14
~
15

---

3 일차 곱셈표

🌱 빈칸에 알맞은 수를 써넣으세요.

×	1	2	3	4	5	6	7	8	9
2	2	4	6	8	10	12	14	16	18
4	4	8	12	16	20	24	28	32	36

×	4
2	8
4	16

×	2
2	4
4	8

×	7
2	14
4	28

×	8
2	16
4	32

×	3
2	6
4	12

×	5
2	10
4	20

×	6
2	12
4	24

×	9
2	18
4	36

16 소마셈 – B6

🌱 빈칸에 알맞은 수를 써넣으세요.

×	1	2	3
2	2	4	6
4	4	8	12

×	4	5	6
2	8	10	12
4	16	20	24

×	7	8	9
2	14	16	18
4	28	32	36

×	1	3	5
2	2	6	10
4	4	12	20

×	2	4	6
2	4	8	12
4	8	16	24

×	3	6	9
2	6	12	18
4	12	24	36

1주 – 2의 단, 4의 단 17

P
16
~
17

정답 **117**

P 18 ~ 19

1주

4 일 차 곱셈 퍼즐

빈칸에 알맞은 수를 써넣으세요.

×	4
3	12
6	24

×	2
4	8
7	14

×	4
5	20
8	32

×	2
9	18
8	16

×	6
2	12
4	24

×	7
2	14
4	28

×	9
2	18
4	36

×	8
4	32
2	16

×	2
7	14
5	10

×	9
4	36
2	18

×	4
7	28
8	32

×	6
4	24
2	12

18 소마셈 – B6

빈칸에 알맞은 수를 써넣으세요.

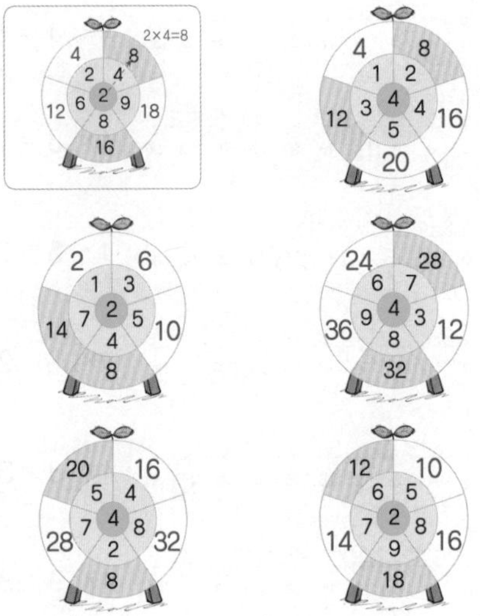
2×4=8
4 8 2 4 2 12 6 9 18 8 16
4 8 1 2 4 12 3 4 16 5 20
2 6 1 3 2 14 7 5 10 4 8
24 28 6 7 4 36 9 3 12 8 32
20 16 5 4 4 28 7 8 32 2 8
12 10 6 5 2 14 7 8 16 9 18

1주 – 2의 단, 4의 단 19

P 20 ~ 21

신나는 연산!

빈칸에 알맞은 수를 써넣으세요.

2 ×	2	→	4
	4	→	8
	6	→	12

2 ×	5	→	10
	7	→	14
	9	→	18

4 ×	3	→	12
	4	→	16
	5	→	20

4 ×	6	→	24
	7	→	28
	8	→	32

2 ×	1	→	2
	3	→	6
	8	→	16

4 ×	2	→	8
	5	→	20
	9	→	36

20 소마셈 – B6

1주 월 일

올바른 계산 결과가 되도록 길을 그려 보세요.

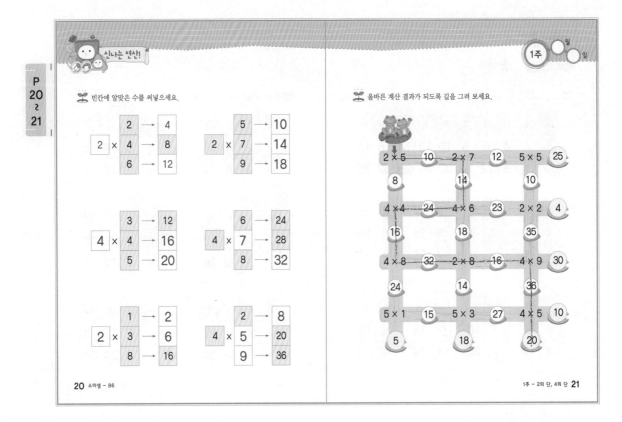

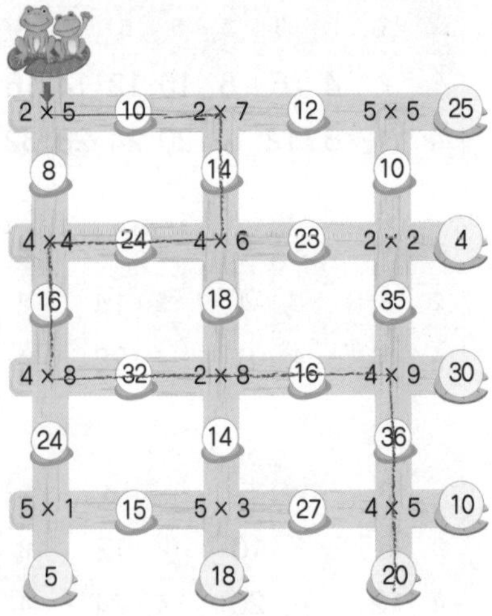
2 × 5 10 2 × 7 12 5 × 5 25
8 14 10
4 × 4 24 4 × 6 23 2 × 2 4
16 18 35
4 × 8 32 2 × 8 16 4 × 9 30
24 14 36
5 × 1 15 5 × 3 27 4 × 5 10
5 18 20

1주 – 2의 단, 4의 단 21

5 일 차 문장제

🌱 다음을 읽고 알맞은 곱셈식을 쓰고, 답을 구하세요.

동물원에 펭귄 8마리가 있습니다. 다리는 모두 몇 개일까요?

식 : 2 × 8 = 16   **16** 개

색종이를 4장씩 5명에게 나누어 주려고 합니다. 색종이는 모두 몇 장이 필요할까요?

식 : 4 × 5 = 20   **20** 장

🌱 다음을 읽고 알맞은 곱셈식을 쓰고, 답을 구하세요.

접시에 사과가 2개씩 있습니다. 같은 접시 5개가 있다면 사과는 모두 몇 개일까요?

식 : 2 × 5 = 10   **10** 개

색냥개비로 네모 모양을 만들었습니다. 네모 모양 6개를 만들려면 성냥개비는 모두 몇 개 필요할까요?

식 : 4 × 6 = 24   **24** 개

 신나는 연산!

🌱 다음을 읽고 알맞은 곱셈식을 쓰고, 답을 구하세요.

아파트 앞에 두발자전거가 6대 세워져 있습니다. 바퀴는 모두 몇 개일까요?

식 : 2 × 6 = 12   **12** 개

할머니 댁에는 강아지 4마리가 있습니다. 할머니댁에 있는 강아지의 다리는 모두 몇 개일까요?

식 : 4 × 4 = 16   **16** 개

식탁 위에 사탕이 4개씩 7묶음 있습니다. 사탕은 모두 몇 개일까요?

식 : 4 × 7 = 28   **28** 개

🌱 다음을 읽고 알맞은 곱셈식을 쓰고, 답을 구하세요.

꽃밭에 네 잎 클로버가 8개 있습니다. 잎은 모두 몇 개일까요?

식 : 4 × 8 = 32   **32** 개

연못에 오리 7마리가 있습니다. 다리는 모두 몇 개일까요?

식 : 2 × 7 = 14   **14** 개

주머니에 구슬이 2개씩 9묶음 있습니다. 구슬은 모두 몇 개일까요?

식 : 2 × 9 = 18   **18** 개

정답

P 28 ~ 29

1 일차   5의 단

5씩 뛰어 세기 한 수 배열표를 보고 규칙을 이용하여 5의 단 곱셈을 해 보세요.

| 1 | 2 | 3 | 4 | 5 | 6 | 7 | 8 | 9 | 10 |

$5 \times \boxed{1} = 5$ $5 \times \boxed{2} = 10$

| 11 | 12 | 13 | 14 | 15 | 16 | 17 | 18 | 19 | 20 |

$5 \times \boxed{3} = 15$ $5 \times \boxed{4} = 20$

| 21 | 22 | 23 | 24 | 25 | 26 | 27 | 28 | 29 | 30 |

$5 \times \boxed{5} = 25$ $5 \times \boxed{6} = 30$

| 31 | 32 | 33 | 34 | 35 | 36 | 37 | 38 | 39 | 40 |

$5 \times \boxed{7} = 35$ $5 \times \boxed{8} = 40$

| 41 | 42 | 43 | 44 | 45 | 46 | 47 | 48 | 49 | 50 |

$5 \times \boxed{9} = 45$

28 소마셈 - B6

2주 일 일

5씩 뛰어 세기 한 수 배열표를 보고 규칙을 이용하여 5의 단 곱셈을 해 보세요.

1	2	3	4	5 (5×1)	6	7	8	9	10
11	12	13	14	15	16	17	18	19	20
21	22	23	24	25	26	27	28	29	30
31	32	33	34	35	36	37	38	39	40
41	42	43	44	45	46	47	48	49	50

$5 \times 2 = \boxed{10}$ $5 \times 3 = \boxed{15}$

$5 \times 4 = \boxed{20}$ $5 \times 5 = \boxed{25}$

$5 \times 6 = \boxed{30}$ $5 \times 7 = \boxed{35}$

$5 \times 8 = \boxed{40}$ $5 \times 9 = \boxed{45}$

 TIP 5의 단은 곱의 일의 자리 숫자가 5또는 0입니다. 수 배열표를 이용해 수의 규칙을 찾으면 익히기 쉽습니다.

2주 – 5의 단, 9의 단 **29**

P 30 ~ 31

2주

□ 안에 알맞은 수를 써넣으세요.

$5 \times 3 = \boxed{15}$ $5 \times 4 = \boxed{20}$

$5 \times 5 = \boxed{25}$ $5 \times 2 = \boxed{10}$

$5 \times 6 = \boxed{30}$ $5 \times 7 = \boxed{35}$

$5 \times 4 = \boxed{20}$ $5 \times 8 = \boxed{40}$

$5 \times 9 = \boxed{45}$ $5 \times 1 = \boxed{5}$

$5 \times 7 = \boxed{35}$ $5 \times 3 = \boxed{15}$

30 소마셈 - B6

---

2 일차   9의 단

9씩 뛰어 세기 한 수 배열표를 보고 9의 단 규칙을 알아보세요.

1	2	3	4	5	6	7	8	9 (9×1)	10
11	12	13	14	15	16	17	18 (9×2)	19	20
21	22	23	24	25	26	27 (9×3)	28	29	30
31	32	33	34	35	36 (9×4)	37	38	39	40
41	42	43	44	45 (9×5)	46	47	48	49	50
51	52	53	54 (9×6)	55	56	57	58	59	60
61	62	63 (9×7)	64	65	66	67	68	69	70
71	72 (9×8)	73	74	75	76	77	78	79	80
81 (9×9)	82	83	84	85	86	87	88	89	90

 TIP 5의 단과 9의 단은 특히 규칙을 이용하면 익히기가 쉽습니다. 9의 단은 십의 자리 숫자가 1씩 커지고 일의 자리 숫자가 1씩 작아집니다. 또, 곱의 숫자들의 합이 항상 9입니다.

2주 – 5의 단, 9의 단 **31**

---

120 소마셈 - B6

🌱 9씩 뛰어 세기 한 수 배열표를 보고 규칙을 이용하여 9의 단 곱셈을 해 보세요.

1	2	3	4	5	6	7	8	9	10

9 × 1 = 9

11	12	13	14	15	16	17	18	19	20

9 × 2 = 18

21	22	23	24	25	26	27	28	29	30

9 × 3 = 27

31	32	33	34	35	36	37	38	39	40

9 × 4 = 36

41	42	43	44	45	46	47	48	49	50

9 × 5 = 45

51	52	53	54	55	56	57	58	59	60

9 × 6 = 54

61	62	63	64	65	66	67	68	69	70

9 × 7 = 63

71	72	73	74	75	76	77	78	79	80

9 × 8 = 72

81	82	83	84	85	86	87	88	89	90

9 × 9 = 81

🌱 □ 안에 알맞은 수를 써넣으세요.

9 × 4 = 36

9 × 1 = 9

9 × 5 = 45

9 × 2 = 18

9 × 4 = 36

9 × 6 = 54

9 × 7 = 63

9 × 3 = 27

9 × 8 = 72

9 × 9 = 81

9 × 4 = 36

9 × 5 = 45

곱셈표

🌱 빈칸에 알맞은 수를 써넣으세요.

×	1	2	3	4	5	6	7	8	9
5	5	10	15	20	25	30	35	40	45
9	9	18	27	36	45	54	63	72	81

×	2
5	10
9	18

×	5
5	25
9	45

×	4
5	20
9	36

×	6
5	30
9	54

×	7
5	35
9	63

×	8
5	40
9	72

×	9
5	45
9	81

×	3
5	15
9	27

🌱 빈칸에 알맞은 수를 써넣으세요.

×	4	5	6
5	20	25	30
9	36	45	54

×	7	8	9
5	35	40	45
9	63	72	81

×	3	5	7
5	15	25	35
9	27	45	63

×	2	4	6
5	10	20	30
9	18	36	54

×	3	6	9
5	15	30	45
9	27	54	81

2주 일차 곱셈 퍼즐

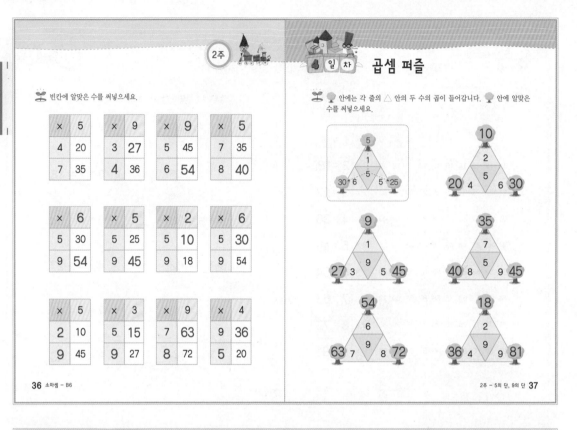

빈칸에 알맞은 수를 써넣으세요.

×	5
4	20
7	35

×	9
3	27
4	36

×	9
5	45
6	54

×	5
7	35
8	40

×	6
5	30
9	54

×	5
5	25
9	45

×	2
5	10
9	18

×	6
5	30
9	54

×	5
2	10
9	45

×	3
5	15
9	27

×	9
7	63
8	72

×	4
9	36
5	20

🌱🌷 안에는 각 줄의 △ 안의 두 수의 곱이 들어갑니다. 🌷 안에 알맞은 수를 써넣으세요.

36 소마셈 – B6

2주 – 5의 단, 9의 단 37

신나는 연산!

2주 원 일

빈칸에 알맞은 수를 써넣으세요.

$5 \times$
1	→	5
2	→	10
3	→	15

$5 \times$
4	→	20
6	→	30
8	→	40

$9 \times$
1	→	9
5	→	45
7	→	63

$9 \times$
4	→	36
6	→	54
8	→	72

$5 \times$
5	→	25
7	→	35
9	→	45

$9 \times$
2	→	18
3	→	27
9	→	81

올바른 계산 결과가 되도록 길을 그려 보세요.

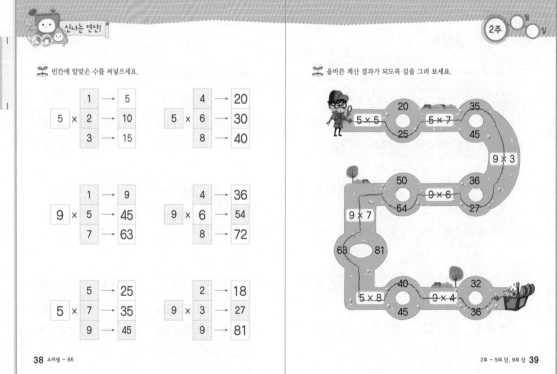

38 소마셈 – B6

2주 – 5의 단, 9의 단 39

5 일 차 문장제

다음을 읽고 알맞은 곱셈식을 쓰고, 답을 구하세요.

준희는 매일 물을 5잔씩 마십니다. 준희가 일주일 동안 마시는 물은 모두 몇 잔일까요?

식 : 5 × 7 = 35   **35** 잔

수영이는 사탕을 9개씩 4묶음 가지고 있습니다. 수영이가 가진 사탕은 모두 몇 개일까요?

식 : 9 × 4 = 36   **36** 개

다음을 읽고 알맞은 곱셈식을 쓰고, 답을 구하세요.

농구는 5명의 선수가 한 팀이 되어 경기를 합니다. 4팀이 있다면 선수는 모두 몇 명일까요?

식 : 5 × 4 = 20   **20** 명

동주는 동화책을 하루에 9쪽씩 읽었습니다. 동주가 6일 동안 읽은 동화책은 모두 몇 쪽일까요?

식 : 9 × 6 = 54   **54** 쪽

다음을 읽고 알맞은 곱셈식을 쓰고, 답을 구하세요.

달리기를 하기 위해서 학생들이 한 줄에 9명씩 5줄로 서 있습니다. 학생은 모두 몇 명일까요?

식 : 9 × 5 = 45   **45** 명

접시 한 개에 빵을 5개씩 담았습니다. 접시 5개에 담겨 있는 빵은 모두 몇 개일까요?

식 : 5 × 5 = 25   **25** 개

한 대에 5명씩 탈 수 있는 자동차가 6대 있습니다. 모두 몇 명이 탈 수 있을까요?

식 : 5 × 6 = 30   **30** 명

다음을 읽고 알맞은 곱셈식을 쓰고, 답을 구하세요.

야구는 9명의 선수가 한 팀이 되어 경기를 합니다. 2팀이 경기를 하면 선수는 모두 몇 명일까요?

식 : 9 × 2 = 18   **18** 명

채은이네 반에서 5명씩 모둠을 정했더니 남는 사람없이 6모둠이 되었습니다. 채은이네 반 학생은 모두 몇 명일까요?

식 : 5 × 6 = 30   **30** 명

성주는 9명의 친구들에게 초콜렛을 8개씩 나누어 주려고 합니다. 초콜렛은 몇 개가 필요할까요?

식 : 9 × 8 = 72   **72** 개

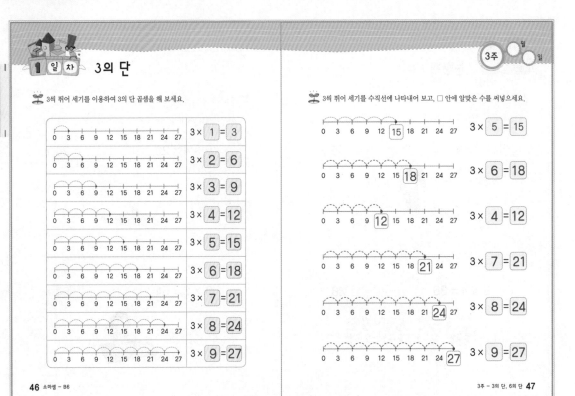

3주

1 일차   3의 단

3씩 뛰어 세기를 이용하여 3의 단 곱셈을 해 보세요.

	3 × 1 = 3
	3 × 2 = 6
	3 × 3 = 9
	3 × 4 = 12
	3 × 5 = 15
	3 × 6 = 18
	3 × 7 = 21
	3 × 8 = 24
	3 × 9 = 27

46 소마셈 - B6

3씩 뛰어 세기를 수직선에 나타내어 보고, □ 안에 알맞은 수를 써넣으세요.

3 × 5 = 15

3 × 6 = 18

3 × 4 = 12

3 × 7 = 21

3 × 8 = 24

3 × 9 = 27

3주 - 3의 단, 6의 단 **47**

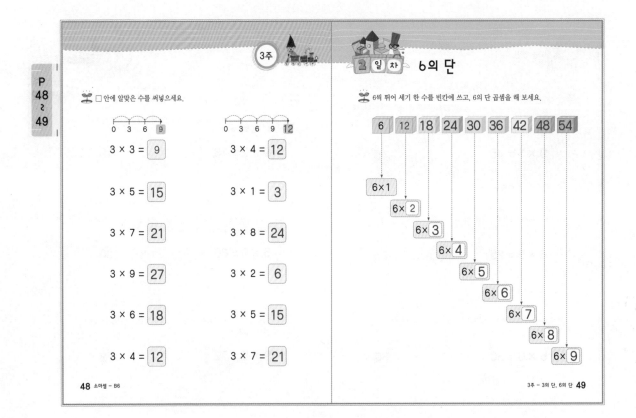

□ 안에 알맞은 수를 써넣으세요.

3 × 3 = 9   3 × 4 = 12

3 × 5 = 15   3 × 1 = 3

3 × 7 = 21   3 × 8 = 24

3 × 9 = 27   3 × 2 = 6

3 × 6 = 18   3 × 5 = 15

3 × 4 = 12   3 × 7 = 21

48 소마셈 - B6

2 일차   6의 단

6씩 뛰어 세기 한 수를 빈칸에 쓰고, 6의 단 곱셈을 해 보세요.

6   12   18   24   30   36   42   48   54

6×1
6×2
6×3
6×4
6×5
6×6
6×7
6×8
6×9

3주 - 3의 단, 6의 단 **49**

124 소마셈 - B6

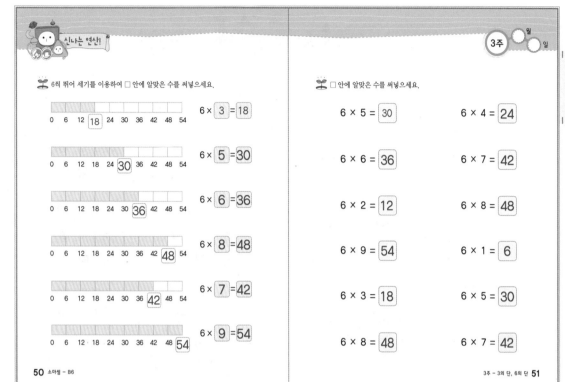

신나는 연산!

🌱 6씩 뛰어 세기를 이용하여 □ 안에 알맞은 수를 써넣으세요.

$6 \times \boxed{3} = \boxed{18}$

0 6 12 **18** 24 30 36 42 48 54

$6 \times \boxed{5} = \boxed{30}$

0 6 12 18 24 **30** 36 42 48 54

$6 \times \boxed{6} = \boxed{36}$

0 6 12 18 24 30 **36** 42 48 54

$6 \times \boxed{8} = \boxed{48}$

0 6 12 18 24 30 36 42 **48** 54

$6 \times \boxed{7} = \boxed{42}$

0 6 12 18 24 30 36 **42** 48 54

$6 \times \boxed{9} = \boxed{54}$

0 6 12 18 24 30 36 42 48 **54**

🌱 □ 안에 알맞은 수를 써넣으세요.

$6 \times 5 = \boxed{30}$ $6 \times 4 = \boxed{24}$

$6 \times 6 = \boxed{36}$ $6 \times 7 = \boxed{42}$

$6 \times 2 = \boxed{12}$ $6 \times 8 = \boxed{48}$

$6 \times 9 = \boxed{54}$ $6 \times 1 = \boxed{6}$

$6 \times 3 = \boxed{18}$ $6 \times 5 = \boxed{30}$

$6 \times 8 = \boxed{48}$ $6 \times 7 = \boxed{42}$

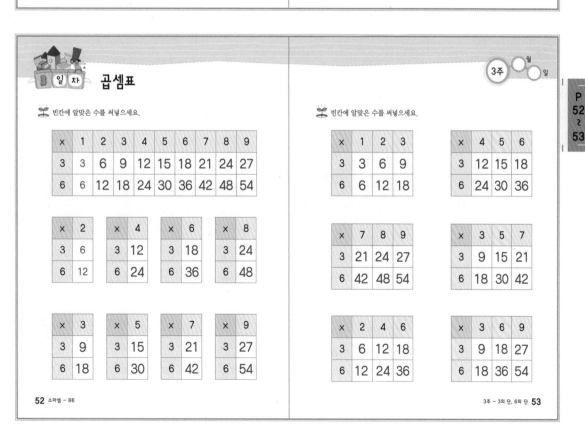

3 일 차

곱셈표

🌱 빈칸에 알맞은 수를 써넣으세요.

×	1	2	3	4	5	6	7	8	9
3	3	6	9	12	15	18	21	24	27
6	6	12	18	24	30	36	42	48	54

×	2
3	6
6	12

×	4
3	12
6	24

×	6
3	18
6	36

×	8
3	24
6	48

×	3
3	9
6	18

×	5
3	15
6	30

×	7
3	21
6	42

×	9
3	27
6	54

🌱 빈칸에 알맞은 수를 써넣으세요.

×	1	2	3
3	3	6	9
6	6	12	18

×	4	5	6
3	12	15	18
6	24	30	36

×	7	8	9
3	21	24	27
6	42	48	54

×	3	5	7
3	9	15	21
6	18	30	42

×	2	4	6
3	6	12	18
6	12	24	36

×	3	6	9
3	9	18	27
6	18	36	54

정답

P 54~55

빈칸에 알맞은 수를 써넣으세요.

×	3
5	15
6	18

×	6
4	24
6	36

×	3
3	9
8	24

×	6
2	12
8	48

×	8
3	24
6	48

×	4
3	12
6	24

×	9
6	54
3	27

×	7
6	42
3	21

×	3
9	27
2	6

×	6
6	36
3	18

×	5
6	30
3	15

×	6
9	54
8	48

54 소마셈 - B6

  곱셈 퍼즐

★ 안에는 각 줄의 □ 안의 두 수의 곱이 들어갑니다. ☆ 안에 알맞은 수를 써넣으세요.

3	5	15
8	6	48
24	30	

2	3	6
6	9	54
12	27	

3	7	21
6	6	36
18	42	

3	9	27
3	6	18
9	54	

4	3	12
6	8	48
24	24	

3주 - 3의 단, 6의 단 55

P 56~57

신나는 연산!

빈칸에 알맞은 수를 써넣으세요.

3 × [1→3, 3→9, 5→15]
3 × [2→6, 7→21, 9→27]
3 × [4→12, 6→18, 8→24]
6 × [4→24, 5→30, 8→48]
6 × [2→12, 3→18, 7→42]
6 × [5→30, 6→36, 9→54]

56 소마셈 - B6

올바른 계산 결과를 찾아 선을 그어 보세요.

3×5, 6×5, 3×3 — 9,15,30
2×6, 6×7, 3×8 — 42,24,12
4×3, 3×7, 6×6 — 36,12,21
3×2, 4×6, 3×6 — 6,18,24
6×8, 6×9, 9×3 — 27,48,54
5×3, 3×9, 6×7 — 15,42,27

3주 - 3의 단, 6의 단 57

126 소마셈 - B6

문장제

다음을 읽고 알맞은 곱셈식을 쓰고, 답을 구하세요.

수정이가 색종이를 3장씩 4명에게 나누어 주려고 합니다. 색종이는 모두 몇 장이 필요할까요?

식 : 3 × 4 = 12　　　**12** 장

선물 포장을 하는데 길이가 6cm인 리본이 3개 필요합니다. 리본은 모두 몇 cm가 필요할까요?

식 : 6 × 3 = 18　　　**18** cm

6cm

다음을 읽고 알맞은 곱셈식을 쓰고, 답을 구하세요.

바구니 한 개에 귤을 6개씩 담았습니다. 바구니 6개에 담긴 귤은 모두 몇 개일까요?

식 : 6 × 6 = 36　　　**36** 개

성냥개비로 세모 모양을 만들었습니다. 세모 모양 5개를 만들려면 성냥개비는 모두 몇 개 필요할까요?

식 : 3 × 5 = 15　　　**15** 개

다음을 읽고 알맞은 곱셈식을 쓰고, 답을 구하세요.

세발 자전거가 7대 있습니다. 바퀴는 모두 몇 개일까요?

식 : 3 × 7 = 21　　　**21** 개

건우와 아빠가 팔굽혀펴기를 했습니다. 건우는 3번을 했고, 아빠는 건우의 8배만큼 했습니다. 아빠는 팔굽혀펴기를 몇 번 했을까요?

식 : 3 × 8 = 24　　　**24** 번

메뚜기 한 마리의 다리는 6개입니다. 메뚜기 5마리의 다리는 모두 몇 개일까요?

식 : 6 × 5 = 30　　　**30** 개

다음을 읽고 알맞은 곱셈식을 쓰고, 답을 구하세요.

상자에 야구공을 6개씩 담았습니다. 상자 4개에 담은 야구공은 모두 몇 개일까요?

식 : 6 × 4 = 24　　　**24** 개

사과가 한 봉지에 3개씩 담겨 있습니다. 9봉지에 담긴 사과는 모두 몇 개일까요?

식 : 3 × 9 = 27　　　**27** 개

책꽂이 한 칸에는 6권씩 책을 꽂을 수 있습니다. 책꽂이 9칸에는 책을 모두 몇 권 꽂을 수 있을까요?

식 : 6 × 9 = 54　　　**54** 권

정답

1 일차 7의 단

4주

🌱 7씩 뛰어 세기 한 수를 빈칸에 쓰고, 7의 단 곱셈을 해 보세요.

| 7 | 14 | 21 | 28 | 35 | 42 | 49 | 56 | 63 |

7×1
7×2
7×3
7×4
7×5
7×6
7×7
7×8
7×9

🌱 7씩 뛰어 세기를 이용하여 □ 안에 알맞은 수를 써넣으세요.

0 7 14 21 28 35 42 49 56 63   7 × 2 = 14

0 7 14 21 28 35 42 49 56 63   7 × 3 = 21

0 7 14 21 28 35 42 49 56 63   7 × 5 = 35

0 7 14 21 28 35 42 49 56 63   7 × 7 = 49

0 7 14 21 28 35 42 49 56 63   7 × 9 = 63

0 7 14 21 28 35 42 49 56 63   7 × 6 = 42

64 소마셈 - B6

4주 - 7의 단, 8의 단 65

4주

🌱 □ 안에 알맞은 수를 써넣으세요.

7 × 2 = 14   7 × 3 = 21

7 × 6 = 42   7 × 5 = 35

7 × 1 = 7   7 × 8 = 56

7 × 4 = 28   7 × 7 = 49

7 × 9 = 63   7 × 6 = 42

7 × 8 = 56   7 × 5 = 35

2 일차 8의 단

🌱 8씩 뛰어 세기 한 수를 빈칸에 쓰고, 8의 단 곱셈을 해 보세요.

| 8 | 16 | 24 | 32 | 40 | 48 | 56 | 64 | 72 |

8×1
8×2
8×3
8×4
8×5
8×6
8×7
8×8
8×9

66 소마셈 - B6

4주 - 7의 단, 8의 단 67

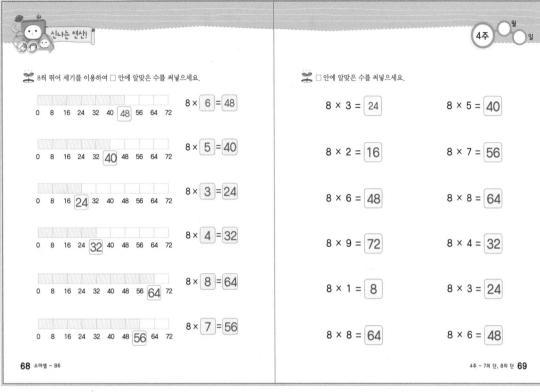

신나는 연산!

8씩 뛰어 세기를 이용하여 □ 안에 알맞은 수를 써넣으세요.

0 8 16 24 32 40 48 56 64 72   8 × 6 = 48

0 8 16 24 32 40 48 56 64 72   8 × 5 = 40

0 8 16 24 32 40 48 56 64 72   8 × 3 = 24

0 8 16 24 32 40 48 56 64 72   8 × 4 = 32

0 8 16 24 32 40 48 56 64 72   8 × 8 = 64

0 8 16 24 32 40 48 56 64 72   8 × 7 = 56

□ 안에 알맞은 수를 써넣으세요.

8 × 3 = 24   8 × 5 = 40

8 × 2 = 16   8 × 7 = 56

8 × 6 = 48   8 × 8 = 64

8 × 9 = 72   8 × 4 = 32

8 × 1 = 8   8 × 3 = 24

8 × 8 = 64   8 × 6 = 48

68 소마셈 - B6

3 일 차 **곱셈표**

빈칸에 알맞은 수를 써넣으세요.

×	1	2	3	4	5	6	7	8	9
7	7	14	21	28	35	42	49	56	63
8	8	16	24	32	40	48	56	64	72

×	2
7	14
8	16

×	4
7	28
8	32

×	6
7	42
8	48

×	8
7	56
8	64

×	3
7	21
8	24

×	5
7	35
8	40

×	7
7	49
8	56

×	9
7	63
8	72

빈칸에 알맞은 수를 써넣으세요.

×	1	2	3
7	7	14	21
8	8	16	24

×	4	5	6
7	28	35	42
8	32	40	48

×	7	8	9
7	49	56	63
8	56	64	72

×	3	5	7
7	21	35	49
8	24	40	56

×	2	4	6
7	14	28	42
8	16	32	48

×	3	6	9
7	21	42	63
8	24	48	72

70 소마셈 - B6

4주

빈칸에 알맞은 수를 써넣으세요.

×	2
8	16
7	14

×	8
3	24
5	40

×	7
3	21
8	56

×	4
8	32
7	28

×	5
7	35
8	40

×	3
7	21
8	24

×	7
7	49
8	56

×	8
7	56
8	64

×	9
8	72
7	63

×	6
8	48
7	42

×	8
4	32
6	48

×	7
9	63
4	28

72 소마셈 - B6

곱셈 퍼즐

4 일 차

빈칸에 알맞은 수를 써넣으세요.

7 → ×9 → 63

7 → ×3 → 21

8 → ×4 → 32

7 → ×5 → 35

7 → ×6 → 42

8 → ×8 → 64

7 → ×7 → 49

8 → ×2 → 16

8 → ×5 → 40

4주 - 7의 단, 8의 단 73

신나는 연산!

빈칸에 알맞은 수를 써넣으세요.

8 → ×3 → 24

7 → ×2 → 14

7 → ×7 → 49

8 → ×6 → 48

8 → ×5 → 40

7 → ×4 → 28

7 → ×8 → 56

8 → ×9 → 72

8 → ×7 → 56

74 소마셈 - B6

4주 일 일

빈칸에 알맞은 수를 써넣으세요.

7 ×	2	→ 14
	3	→ 21
	4	→ 28

8 ×	2	→ 16
	5	→ 40
	6	→ 48

8 ×	1	→ 8
	4	→ 32
	9	→ 72

7 ×	5	→ 35
	6	→ 42
	7	→ 49

7 ×	3	→ 21
	8	→ 56
	9	→ 63

8 ×	3	→ 24
	7	→ 56
	8	→ 64

4주 - 7의 단, 8의 단 75

5일차 문장제

🌱 다음을 읽고 알맞은 곱셈식을 쓰고, 답을 구하세요.

문어 한 마리의 다리 수는 8개입니다. 문어 5마리의 다리는 모두 몇 개일까요?

식 : 8 × 5 = 40

40 개

사과 7개를 4조각씩 잘랐습니다. 사과는 모두 몇 조각일까요?

식 : 7 × 4 = 28

28 조각

🌱 다음을 읽고 알맞은 곱셈식을 쓰고, 답을 구하세요.

태준이는 하루에 7쪽씩 일주일 동안 책을 읽었습니다. 태준이가 일주일 동안 읽은 책은 모두 몇 쪽일까요?

식 : 7 × 7 = 49

49 쪽

승합차 한 대에 8명이 탈 수 있습니다. 승합차 3대에는 모두 몇 명이 탈 수 있을까요?

식 : 8 × 3 = 24

24 명

신나는 연산!

🌱 다음을 읽고 알맞은 곱셈식을 쓰고, 답을 구하세요.

상자에 탁구공을 7개씩 담았습니다. 상자 3개에 담은 탁구공은 모두 몇 개일까요?

식 : 7 × 3 = 21

21 개

선생님께서 8명의 친구들에게 공책을 2권씩 나누어 주려고 합니다. 공책은 모두 몇 권이 필요할까요?

식 : 8 × 2 = 16

16 권

어린이 한 명이 풍선을 7개씩 들고 있습니다. 6명의 어린이가 들고 있는 풍선은 모두 몇 개일까요?

식 : 7 × 6 = 42

42 개

🌱 다음을 읽고 알맞은 곱셈식을 쓰고, 답을 구하세요.

기령이는 종이배를 하루에 8개씩 만들었습니다. 기령이가 일주일 동안 만든 종이배는 모두 몇 개일까요?

식 : 8 × 7 = 56

56 개

상자 안에 쿠키가 8개씩 4줄이 담겨 있습니다. 상자에 들어있는 쿠키는 모두 몇 개일까요?

식 : 8 × 4 = 32

32 개

운동장에 어린이가 7명씩 5줄로 서 있습니다. 운동장에 있는 어린이는 모두 몇 명일까요?

식 : 7 × 5 = 35

35 명

P 82 ~ 83

1주차 2의 단, 4의 단

□ 안에 알맞은 수를 써넣으세요.

$2 \times 3 = 6$ $4 \times 4 = 16$

$4 \times 3 = 12$ $2 \times 9 = 18$

$2 \times 2 = 4$ $2 \times 5 = 10$

$2 \times 6 = 12$ $4 \times 7 = 28$

$4 \times 8 = 32$ $2 \times 1 = 2$

$2 \times 7 = 14$ $2 \times 4 = 8$

$4 \times 5 = 20$ $2 \times 8 = 16$

82 소마셈 – B6

□ 안에 알맞은 수를 써넣으세요.

$4 \times 2 = 8$ $2 \times 9 = 18$

$4 \times 1 = 4$ $2 \times 6 = 12$

$4 \times 5 = 20$ $4 \times 6 = 24$

$2 \times 6 = 12$ $4 \times 3 = 12$

$4 \times 8 = 32$ $2 \times 7 = 14$

$4 \times 9 = 36$ $4 \times 4 = 16$

$2 \times 5 = 10$ $4 \times 8 = 32$

Drill – 보충학습 83

P 84 ~ 85

1주차

□ 안에 알맞은 수를 써넣으세요.

$2 \times 4 = 8$ $4 \times 7 = 28$

$2 \times 5 = 10$ $4 \times 5 = 20$

$2 \times 6 = 12$ $2 \times 9 = 18$

$4 \times 6 = 24$ $2 \times 7 = 14$

$4 \times 3 = 12$ $2 \times 2 = 4$

$4 \times 8 = 32$ $4 \times 7 = 28$

$4 \times 2 = 8$ $2 \times 8 = 16$

84 소마셈 – B6

□ 안에 알맞은 수를 써넣으세요.

$4 \times 4 = 16$ $2 \times 9 = 18$

$2 \times 5 = 10$ $4 \times 9 = 36$

$2 \times 6 = 12$ $4 \times 5 = 20$

$4 \times 3 = 12$ $2 \times 4 = 8$

$2 \times 4 = 8$ $2 \times 8 = 16$

$4 \times 7 = 28$ $4 \times 6 = 24$

$2 \times 5 = 10$ $4 \times 2 = 8$

Drill – 보충학습 85

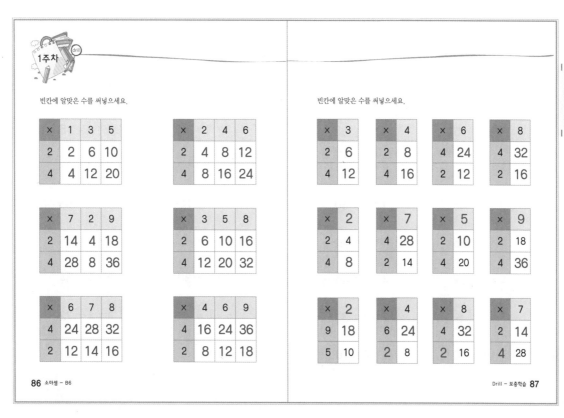

1주차

빈칸에 알맞은 수를 써넣으세요.

×	1	3	5
2	2	6	10
4	4	12	20

×	2	4	6
2	4	8	12
4	8	16	24

×	7	2	9
2	14	4	18
4	28	8	36

×	3	5	8
2	6	10	16
4	12	20	32

×	6	7	8
4	24	28	32
2	12	14	16

×	4	6	9
4	16	24	36
2	8	12	18

빈칸에 알맞은 수를 써넣으세요.

×	3
2	6
4	12

×	4
2	8
4	16

×	6
4	24
2	12

×	8
4	32
2	16

×	2
2	4
4	8

×	7
4	28
2	14

×	5
2	10
4	20

×	9
2	18
4	36

×	2
9	18
5	10

×	4
6	24
2	8

×	8
4	32
2	16

×	7
2	14
4	28

P 86 ~ 87

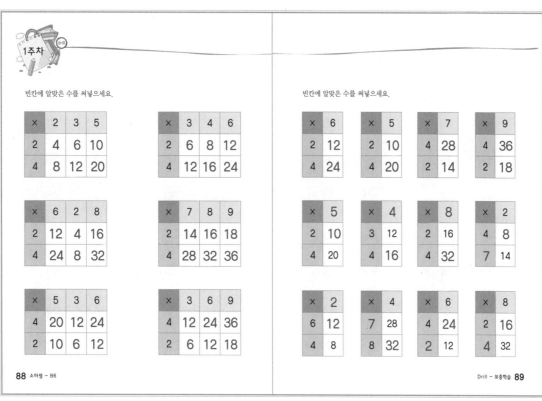

1주차

빈칸에 알맞은 수를 써넣으세요.

×	2	3	5
2	4	6	10
4	8	12	20

×	3	4	6
2	6	8	12
4	12	16	24

×	6	2	8
2	12	4	16
4	24	8	32

×	7	8	9
2	14	16	18
4	28	32	36

×	5	3	6
4	20	12	24
2	10	6	12

×	3	6	9
4	12	24	36
2	6	12	18

빈칸에 알맞은 수를 써넣으세요.

×	6
2	12
4	24

×	5
2	10
4	20

×	7
4	28
2	14

×	9
4	36
2	18

×	5
2	10
4	20

×	4
3	12
4	16

×	8
2	16
4	32

×	2
4	8
7	14

×	2
6	12
4	8

×	4
7	28
8	32

×	6
4	24
2	12

×	8
2	16
4	32

P 88 ~ 89

2주차 5의 단, 9의 단

□ 안에 알맞은 수를 써넣으세요.

$5 \times 3 = 15$　　$5 \times 7 = 35$

$9 \times 8 = 72$　　$9 \times 2 = 18$

$5 \times 9 = 45$　　$5 \times 6 = 30$

$5 \times 5 = 25$　　$5 \times 8 = 40$

$9 \times 3 = 27$　　$9 \times 5 = 45$

$5 \times 1 = 5$　　$5 \times 6 = 30$

$5 \times 4 = 20$　　$5 \times 2 = 10$

90 소마셈 - B6

□ 안에 알맞은 수를 써넣으세요.

$9 \times 2 = 18$　　$5 \times 3 = 15$

$9 \times 3 = 27$　　$9 \times 7 = 63$

$5 \times 4 = 20$　　$5 \times 7 = 35$

$9 \times 1 = 9$　　$5 \times 9 = 45$

$9 \times 4 = 36$　　$9 \times 6 = 54$

$5 \times 8 = 40$　　$9 \times 8 = 72$

$9 \times 5 = 45$　　$9 \times 9 = 81$

Drill - 보충학습 91

2주차

□ 안에 알맞은 수를 써넣으세요.

$5 \times 2 = 10$　　$5 \times 4 = 20$

$5 \times 7 = 35$　　$9 \times 2 = 18$

$9 \times 4 = 36$　　$5 \times 6 = 30$

$5 \times 5 = 25$　　$9 \times 5 = 45$

$9 \times 6 = 54$　　$9 \times 7 = 63$

$5 \times 1 = 5$　　$5 \times 8 = 40$

$9 \times 3 = 27$　　$5 \times 9 = 45$

92 소마셈 - B6

□ 안에 알맞은 수를 써넣으세요.

$5 \times 4 = 20$　　$5 \times 3 = 15$

$9 \times 2 = 18$　　$9 \times 4 = 36$

$5 \times 6 = 30$　　$9 \times 5 = 45$

$9 \times 3 = 27$　　$5 \times 5 = 25$

$5 \times 7 = 35$　　$5 \times 9 = 45$

$5 \times 8 = 40$　　$9 \times 7 = 63$

$9 \times 6 = 54$　　$9 \times 8 = 72$

Drill - 보충학습 93

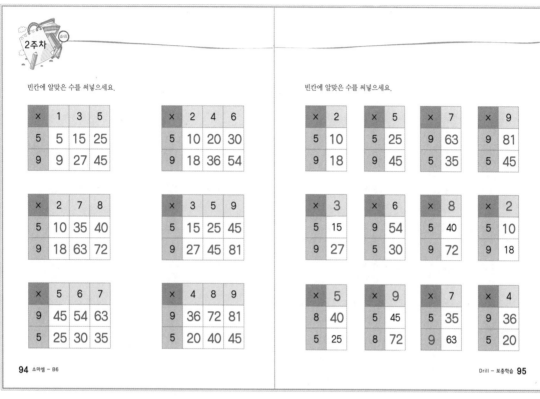

2주차 drill

빈칸에 알맞은 수를 써넣으세요.

×	1	3	5
5	5	15	25
9	9	27	45

×	2	4	6
5	10	20	30
9	18	36	54

×	2	7	8
5	10	35	40
9	18	63	72

×	3	5	9
5	15	25	45
9	27	45	81

×	5	6	7
9	45	54	63
5	25	30	35

×	4	8	9
9	36	72	81
5	20	40	45

빈칸에 알맞은 수를 써넣으세요.

×	2		×	5		×	7		×	9
5	10		5	25		9	63		9	81
9	18		9	45		5	35		5	45

×	3		×	6		×	8		×	2
5	15		9	54		5	40		5	10
9	27		5	30		9	72		9	18

×	5		×	9		×	7		×	4
8	40		5	45		5	35		9	36
5	25		8	72		9	63		5	20

94 소마셈 – B6

Drill – 보충학습 95

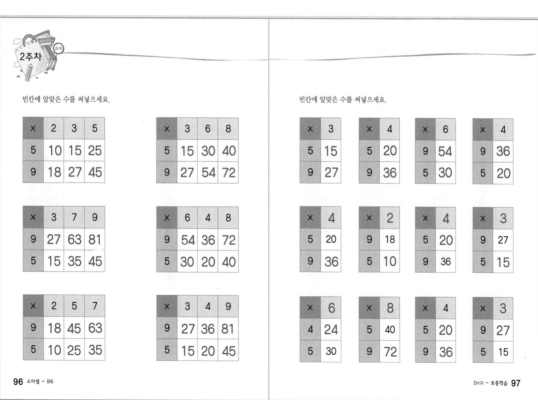

2주차 drill

빈칸에 알맞은 수를 써넣으세요.

×	2	3	5
5	10	15	25
9	18	27	45

×	3	6	8
5	15	30	40
9	27	54	72

×	3	7	9
9	27	63	81
5	15	35	45

×	6	4	8
9	54	36	72
5	30	20	40

×	2	5	7
9	18	45	63
5	10	25	35

×	3	4	9
9	27	36	81
5	15	20	45

빈칸에 알맞은 수를 써넣으세요.

×	3		×	4		×	6		×	4
5	15		5	20		9	54		9	36
9	27		9	36		5	30		5	20

×	4		×	2		×	4		×	3
5	20		9	18		5	20		9	27
9	36		5	10		9	36		5	15

×	6		×	8		×	4		×	3
4	24		5	40		5	20		9	27
5	30		9	72		9	36		5	15

96 소마셈 – B6

Drill – 보충학습 97

정답 **135**

P 98 ~ 99

3주차 3의 단, 6의 단

□ 안에 알맞은 수를 써넣으세요.

3 × 3 = 9
3 × 5 = 15
3 × 1 = 3
3 × 8 = 24
3 × 9 = 27
6 × 3 = 18
6 × 4 = 24

6 × 7 = 42
6 × 2 = 12
3 × 2 = 6
3 × 4 = 12
3 × 7 = 21
3 × 4 = 12
6 × 6 = 36

98 소마셈 – B6

□ 안에 알맞은 수를 써넣으세요.

6 × 5 = 30
3 × 6 = 18
6 × 2 = 12
3 × 5 = 15
6 × 4 = 24
6 × 6 = 36
3 × 3 = 9

6 × 1 = 6
6 × 7 = 42
6 × 8 = 48
3 × 7 = 21
6 × 9 = 54
3 × 8 = 24
6 × 3 = 18

Drill – 보충학습 99

P 100 ~ 101

3주차

□ 안에 알맞은 수를 써넣으세요.

3 × 5 = 15
3 × 6 = 18
6 × 2 = 12
3 × 7 = 21
6 × 4 = 24
6 × 5 = 30
3 × 9 = 27

3 × 3 = 9
6 × 3 = 18
6 × 6 = 36
6 × 7 = 42
3 × 4 = 12
3 × 8 = 24
6 × 8 = 48

100 소마셈 – B6

□ 안에 알맞은 수를 써넣으세요.

6 × 4 = 24
3 × 6 = 18
3 × 2 = 6
6 × 3 = 18
6 × 8 = 48
3 × 5 = 15
3 × 7 = 21

3 × 8 = 24
6 × 2 = 12
6 × 5 = 30
3 × 8 = 24
6 × 6 = 36
6 × 9 = 54
3 × 9 = 27

Drill – 보충학습 101

3주차

P 102 ~ 103

102 소마셈 – B6

빈칸에 알맞은 수를 써넣으세요.

×	3	4	5
3	9	12	15
6	18	24	30

×	6	7	8
3	18	21	24
6	36	42	48

×	1	5	9
3	3	15	27
6	6	30	54

×	2	6	1
3	6	18	3
6	12	36	6

×	2	4	8
6	12	24	48
3	6	12	24

×	4	3	7
6	24	18	42
3	12	9	21

Drill – 보충학습 103

빈칸에 알맞은 수를 써넣으세요.

×	4
3	12
6	24

×	5
3	15
6	30

×	7
6	42
3	21

×	8
6	48
3	24

×	2
3	6
6	12

×	9
6	54
3	27

×	3
3	9
6	18

×	5
6	30
3	15

×	6
9	54
3	18

×	6
8	48
6	36

×	3
7	21
5	15

×	6
2	12
9	54

3주차

P 104 ~ 105

104 소마셈 – B6

빈칸에 알맞은 수를 써넣으세요.

×	2	3	5
3	6	9	15
6	12	18	30

×	4	7	8
3	12	21	24
6	24	42	48

×	1	4	9
6	6	24	54
3	3	12	27

×	2	5	3
6	12	30	18
3	6	15	9

×	3	6	8
6	18	36	48
3	9	18	24

×	4	8	9
6	24	48	54
3	12	24	27

Drill – 보충학습 105

빈칸에 알맞은 수를 써넣으세요.

×	6
3	18
6	36

×	8
3	24
6	48

×	4
6	24
3	12

×	5
6	30
3	15

×	6
3	18
6	36

×	3
6	18
3	9

×	4
3	12
6	24

×	7
6	42
3	21

×	5
5	25
3	15

×	3
8	24
6	18

×	3
4	12
6	18

×	4
6	24
5	20

정답 **137**

4주차 (drill)

7의 단, 8의 단

□ 안에 알맞은 수를 써넣으세요.

$7 \times 5 = 35$ $7 \times 1 = 7$

$7 \times 6 = 42$ $8 \times 2 = 16$

$8 \times 4 = 32$ $7 \times 2 = 14$

$7 \times 3 = 21$ $7 \times 4 = 28$

$8 \times 6 = 48$ $7 \times 8 = 56$

$7 \times 9 = 63$ $8 \times 5 = 40$

$7 \times 7 = 49$ $7 \times 6 = 42$

□ 안에 알맞은 수를 써넣으세요.

$8 \times 3 = 24$ $7 \times 3 = 21$

$7 \times 4 = 28$ $8 \times 4 = 32$

$8 \times 2 = 16$ $8 \times 5 = 40$

$8 \times 6 = 48$ $8 \times 1 = 8$

$8 \times 7 = 56$ $8 \times 9 = 72$

$7 \times 6 = 42$ $7 \times 8 = 56$

$8 \times 8 = 64$ $7 \times 2 = 14$

4주차 (drill)

□ 안에 알맞은 수를 써넣으세요.

$7 \times 4 = 28$ $7 \times 2 = 14$

$7 \times 6 = 42$ $8 \times 6 = 48$

$8 \times 3 = 24$ $7 \times 3 = 21$

$7 \times 5 = 35$ $8 \times 5 = 40$

$8 \times 2 = 16$ $8 \times 7 = 56$

$7 \times 8 = 56$ $7 \times 7 = 49$

$8 \times 4 = 32$ $7 \times 9 = 63$

□ 안에 알맞은 수를 써넣으세요.

$8 \times 4 = 32$ $7 \times 2 = 14$

$7 \times 5 = 35$ $8 \times 9 = 72$

$8 \times 3 = 24$ $8 \times 5 = 40$

$7 \times 6 = 42$ $7 \times 7 = 49$

$8 \times 7 = 56$ $7 \times 6 = 42$

$8 \times 8 = 64$ $8 \times 9 = 72$

$7 \times 4 = 28$ $8 \times 2 = 16$

4주차

빈칸에 알맞은 수를 써넣으세요.

×	1	3	5
7	7	21	35
8	8	24	40

×	2	4	6
7	14	28	42
8	16	32	48

×	2	7	8
7	14	49	56
8	16	56	64

×	3	5	9
7	21	35	63
8	24	40	72

×	5	6	7
8	40	48	56
7	35	42	49

×	4	8	9
8	32	64	72
7	28	56	63

빈칸에 알맞은 수를 써넣으세요.

×	3
7	21
8	24

×	6
7	42
8	48

×	5
8	40
7	35

×	9
8	72
7	63

×	4
8	32
9	36

×	7
8	56
7	49

×	8
2	16
8	64

×	7
9	63
5	35

×	7
6	42
3	21

×	8
8	64
6	48

×	8
4	32
9	72

×	7
2	14
4	28

4주차

빈칸에 알맞은 수를 써넣으세요.

×	2	3	5
7	14	21	35
8	16	24	40

×	1	4	7
7	7	28	49
8	8	32	56

×	2	6	9
8	16	48	72
7	14	42	63

×	3	5	8
8	24	40	64
7	21	35	56

×	5	6	8
8	40	48	64
7	35	42	56

×	3	7	9
8	24	56	72
7	21	49	63

빈칸에 알맞은 수를 써넣으세요.

×	4
7	28
8	32

×	6
7	42
8	48

×	8
8	64
7	56

×	5
8	40
7	35

×	3
8	24
7	21

×	7
8	56
5	35

×	8
3	24
6	48

×	8
9	72
4	32

×	7
6	42
4	28

×	8
7	56
3	24

×	8
5	40
9	72

×	7
4	28
2	14